中國文史經典講堂

老子評注

中國文史經典講堂

老子評注

編選單位　中國社會科學院文學研究所
主編　楊義　副主編　劉躍進
評述·注釋　党聖元

責任編輯　崔　衡
裝幀設計　鍾文君

書　　名　中國文史經典講堂・老子評注
編選單位　中國社會科學院文學研究所
主　　編　楊　義
副 主 編　劉躍進
評述・注釋　党聖元
出　　版　三聯書店（香港）有限公司
香港鰂魚涌英皇道 1065 號 1304 室
JOINT PUBLISHING (HONG KONG) CO., LTD.
Rm.1304, 1065 King's Road, Quarry Bay, Hong Kong
香港發行　香港聯合書刊物流有限公司
香港新界大埔汀麗路36號3字樓
台灣發行　聯合出版有限公司
台北縣新店市中正路542-3號4樓
印　　刷　深圳中華商務安全印務股份有限公司
深圳市龍崗區平湖鎮萬福工業區
版　　次　2007年5月香港第一版第一次印刷
規　　格　大32開（140 × 210mm）272面
國際書號　ISBN 978.962.04.2660.5

Published in Hong Kong

主編的話

中國正在經歷着巨大的變革，已經成為全世界矚目的焦點；中華民族創造的輝煌文化也日益顯現出它的奪目光彩。華夏五千年文明，就是我們民族生生不已的活水源頭，就是我們民族卓然獨立的自下而上之根。

“問渠哪得清如許，為有源頭活水來。”

為探尋這活水源頭，為培植這生存之根，中國社會科學院文學研究所成立五十多年來，一直把文化普及工作放在相當重要的位置，並為此做了大量的、卓有成效的工作。早在二十世紀五六十年代，文學研究所就集中智慧，着手編纂《文學概論》、《中國少數民族文學史》、《中國文學史》、《中國現代文學史》等通論性的論著。與此同時，像余冠英先生的《樂府詩選》（1953年出版）、《三曹詩選》（1956年出版）、《漢魏六朝詩選》（1958年出版），王伯祥先生的《史記選》（1957年出版），錢鍾書先生的《宋詩選注》（1958年出版），俞平伯先生的《唐宋詞選釋》（初名《唐宋詞選》，1962年內部印行，1978年正式出版），以及在他們主持下編選的《唐詩選》等大專家編寫的文學讀本也先後問世，印行數十萬冊，在社會上產生了廣泛而又深遠的影響。進入新的時期，文學研究所秉承傳統，又陸續編選了《古今文學名篇》、《唐宋名篇》、《台灣愛國詩鑒》等，並在修訂《不怕鬼的故事》的基礎上新編《不信神的故事》等，贏得了各個方面的讚譽。

擺在讀者面前的這套“中國文史經典講堂”依然是這項工

作的延續。其編選者有年逾古稀的著名學者，也有風華正茂的年輕博士，更多的是中青年科研骨幹。我們希望通過這樣一項有意義的文化普及工作，在傳播優秀的傳統文學知識的同時，能夠讓廣大讀者從中體味到我們這個民族美好心靈的底蘊。我們誠摯地期待着廣大讀者的批評指正。

目　錄

前　言

老子是先秦時代傑出的思想家、哲學家，道家學派的創始人。他提出的一系列有關道家哲學的基本範疇，為後來道家學派的發展奠定了基礎。到莊子時代，老子所開創的道家學派發展成為一個具有重要影響的學術派別，同儒、墨鼎足而立。西漢初期，道家學說演變成黃老之學，高居各派學說之上，成為統治思想。漢武帝罷黜百家獨尊儒術後，道家思想雖然再也沒有獲得過和儒學同等重要的地位，不再成為封建統治階級的統治思想，但道家思想的發展不但沒有停止，而且越來越超於完善，成為中國文化史上一個獨具特色的思想體系，與儒學思想體系相互滲透、相互補充，長期共存，並行發展，“儒道互補”成為中國傳統文化的重要特徵。在漫長的封建時代裏，道家思想體系對社會政治、經濟、文化等諸多方面都產生了廣泛和深遠的影響，是中國傳統文化的重要組成部分，是中華民族重要而寶貴的精神財富。

關於老子其人、其書，歷來說法不一，分歧很大。司馬遷《史記·老子韓非列傳》有一篇四百多字的老子傳，其中只有開頭的第一句話：“老子者，楚苦縣厲鄉曲仁里人也，姓李氏，名耳，字聃，周守藏室之史也”，語氣較為肯定，其餘凡是涉及老子事蹟之處，態度都十分模糊，在敘述之前，都是以“或曰”、“云”、“或言”表示轉引的語氣。可見，至少在司馬遷生活的時代，有關老子的史料已經只能找到一些相關的傳說，而具體生平事蹟已無從考究了。《史記·老子列傳》是現存有關老子最全面的文獻史料，但由於其對老子含糊其詞、撲朔迷離的記載，故而引起後世長期的猜測和爭論，至今尚未形成共識。概括而言，當今學術界最有代表性的看法有以下四種：

第一種以高亨、呂振羽為代表，認為老子生於春秋末期，曾任東周王朝的守藏史，即掌管典籍的史官，孔子曾向老子問過禮。老子書為老聃所作，但其中有戰國時人增益的文字。這種看法的依據主要還是司馬遷《史記》中“周守藏室之史也”以及“孔子適周，將問禮於老子”的記載，另外，《墨子》、《禮記》、《莊子》、《荀子》、《韓非子》、《呂氏春秋》、《戰國策》中均有老子或老聃的稱呼，這是老子姓李名聃的重要依據；《孔子世家》和《呂氏春秋·當染篇》有關於孔子問老子禮的記載，與《史記》相互印證。

第二種以唐蘭和郭沫若為代表，認為老子其人、其書應該分開來看，老子是春秋末期人，孔子曾向老子問禮，而《老子》的成書當在戰國中期，書的內容是老聃遺說的發揮。這種意見關於老子其人的認定與前一種基本一致，依據也大致相同。對《老子》成書的看法頗有新意，郭沫若甚至認為，《老子》上、下篇乃老聃之再傳或三傳弟子環淵所錄老子遺訓。

第三種以馮友蘭、范文瀾、侯外廬、楊榮國為代表，認為老子是戰國時代人，《老子》成書於戰國時代。馮友蘭認為，孔子之前無私人著述，《老子》是戰國時期作品，不會早於《論語》。范文瀾說《道德經》五千言是戰國時李耳所著。侯外廬認為，老子思想是孔墨顯學的批判發展，其書出於戰國之世。楊榮國則認為《老子》書成於戰國時代莊子之學大興之後。

第四種以顧頡剛、劉節為代表，認為《老子》成書於秦、漢之間。顧頡剛認為，在《呂氏春秋》著作的時代，還沒有今本《老子》的存在，而在《淮南子》中老子獨尊的地位已經確立，因此《老子》成書於《呂氏春秋》和《淮南子》之間。劉節則認為，今本《老子》所討論的中心思想是在“孟子”和“莊子”之間，而五千言則在西漢文景之間才出現。

相比較而言，較為認可的結論是，老子即老聃，姓李名耳，楚國苦縣（今河南鹿邑東）人，大約生活在春秋末期，曾任東周王朝掌管圖書的史官，孔子曾問學於老子，後來棄官而隱，不知所終。先秦典籍很少個人著述，大多是由學派後學整理、記錄、加工、補充而成，《老子》成書過程如果不是極其特殊，也不會另有別的途徑。因此，老子其人、其書不是同一個時代似乎更具有說服力。先秦典籍中諸如《荀子》、《韓非子》、《呂氏春秋》以及《墨子》佚文，均從不同角度描述了內容大體相同的老子學說，與《老子》本文內容完全符合。並且，與《論語》相比，《老子》的思想體系顯然更為完整，風格也更加統一，說《老子》成書於略晚於《論語》的戰國初期，理由也更為充分。

今本《老子》全書五千餘言，故又稱《老子五千文》。西漢河上公作《老子章句》，將《老子》分為八十一章，上下兩篇，稱上篇三十七章為《道經》，後篇四十四章為《德經》，因此《老子》又被稱為《道德經》。1973年，長沙馬王堆三號漢墓出土甲、乙兩種帛書《老子》寫本，都以《德經》為上卷，《道經》為下卷。這與韓非子《解老》、《喻老》中先解《德經》後喻《道經》相吻合。這種《德經》在前，《道經》在後的排列順序可能更接近《老子》一書的原貌。甲本字體介於篆隸之間，不避“邦”字諱，其抄寫年代當早於高祖在位時期，可能是秦漢之際。乙本字體是隸書，獨避“邦”字諱，而仍用“盈”、“恒”二字，其抄寫年代可能是高祖時期。兩種漢寫本帛書《老子》，版本古老，文獻價值極其珍貴。帛書本《老子》不分章，文字與今本稍有出入，個別文字與今本差異較大，尤其是虛詞的不同之處達三百多處。個別地方還有僞字、脱文、衍誤和錯簡等現象，語言也不及今本精煉和流暢，故今本《老子》有明顯加工和潤色的痕跡。1993年，在湖北省郭店墓出土了一種年代比帛書本更早的竹簡《老子》，年代約為戰國中期。竹簡《老子》共二千零四十六字，約為今本《老子》的五分之二。整理者認為，這是因為墓葬數次被盜，使竹簡有所缺失，所以現存竹簡本只是一個殘本。但它卻是目前所見最早的《老子》版本，史料價值彌足珍貴，某些字句的不同對於理解老子思想十分重要。

歷史上有關《老子》的注釋可謂汗牛充棟，不可勝數。元代杜道堅《道德玄經原旨》序說《老子》“注者三千餘家”，嚴靈峰《無求備齋老子集成》初編、續編、補編共影印各種注本三百五十六種，《八史經籍志》共著錄二百三十部。1927年，王重民著《老子考》，各種《老子》注本存目四百五十餘種。其中，在學術史上影響較大、較通行的《老子》版本是東漢時期成書的《老子河上公章句》、三國時期王弼的《道德真經注》以及唐初傅奕的《道德經古本篇》。河上公本以清靜無為、修身養神的觀點闡釋《老子》，為廣大普通百姓所喜愛，尤為道教信徒們所重視，流傳甚廣。王弼本重點在於辨析名理，闡發“有”、“無”之內涵，為歷代文人學者和士大夫階層所普遍接受。傅奕本根據安丘望本、河上丈人本等校定，保持了一些早期版本的原貌。今天研究老子的學者大多以王弼《道德真經注》為依據，再以簡帛本作為參照。

《老子》全書構建起來的是以“道”為最高範疇的哲學體系。在中國古代，“道”一開始並不是一個哲學概念，其使用範圍極其廣泛。“道”的本義是“路”，《說文解字》釋“道”云：“一達謂之道”，即“道”是一條通達的大路。《周易》履卦九二爻云：“履道坦坦”，“道”是平坦的大路。後來，由“道”的本義引申出了很多相關含義，如《莊子·繕性》云：“道，理也”，《管子·君臣》云：“順理而不失之謂道”，“道”指某種學說或主張；《禮記·大學》云：“道，國之政事”，“道”指治理國家的方略；《周禮·訓方氏》云：“道，猶言也”，《荀子·勸學》云：“道，言說也”，“道”指言說或講述；《論語·為政》云：“道之以政，齊之以刑，民免而無恥，道之以德，齊之以禮，有恥且格”，“道”指引導或疏導；《論語·憲問》云：“君子道者三，我無能也”，“道”指實踐或實行。春秋後期，“道”的內涵開始涉及到事物的運動規律和法則，不少思想家、哲學家將“道”的本義進一步引申到體現天體運行規律的“天道”和體現人事運行法則的“人道”。老子正是在這樣一種思想背景下，將“道”的哲學內涵進一步總結和昇華，使之成為一個具有全面、深刻哲學內涵的重要哲學範疇。

老子認為：“道生一，一生二，二生三，三生萬物”，“道”是宇宙萬物的本體，天下萬事萬物都是由“道”所派生的。“道”的特徵是：“有物混成，先天地生。寂兮寥兮，獨立而不改，周行而不殆，可以為天地母。吾不知其名，字之曰‘道’，強為之名曰‘大’”，“道”是一種先天地而存在、深邃幽遠、視之不見、聽之不聞、搏之不得的神秘力量。“道”的本質是“無”，即“天下萬物生於有，有生於無”。老子通過“道”的概念，完整、清晰地闡釋了自己的宇宙論思想，再由此延伸到其政治論和人生論。政治論和人生論的闡釋同樣也是從“道”的概念出發，“天道”和“人道”，社會和自然，宇宙論、政治論和人生論通過“道”有機統一於一體，形成一個完整的哲學體系。

老子哲學體系的精髓在於他的樸素辯證法思想，事物的運動變化、矛盾的普遍存在、對立統一和相互轉化思想都在老子哲學中得到了很好的體現。事物運動變化的思想主要體現在老子的“道”所具有的各種功能之中。老子認為，事物的產生、發展和變化，都是“道”作用的結果，所謂“道生一，一生二，二生三，三生萬物。萬物負陰而抱陽，沖氣以為和”；所謂“故飄風不終朝，驟雨不終日。孰為此者，天地。天地尚不能久，而況於人乎”；所謂“萬物並作，吾以觀復”等等，對事物運動的狀態、形式都予以了揭示。老子還揭示出運動着的事物都存在着矛盾對立的兩個方面，矛盾的雙方既相互依存，又相互轉化。《老子》全書用了幾十個概念來說明事物矛盾的普遍性及其對立關係，如有無、多少、大小、長短、輕重、高下、左右、前後、正反、靜躁、剛柔、強弱、禍福、榮辱、智愚、巧拙、生死、勝敗、損益、得失、難易、美醜、善惡、攻守、進退、同異、虛實、厚薄、華實、盈竭、存亡、明昧、陰陽、親疏、利害、奇正、盈沖、治亂、古今、清濁、枉直、主賓、彼此、慈勇、儉廣、始終、德怨、貴賤、尊卑、牝牡、開闔、黑白、興廢等等，對這些概念的高度關注表現出老子對事物矛盾關係的深刻洞察。

更為重要的是，老子對這些對立概念的矛盾雙方相互依存和轉化的規律還進行了具體形象的分析，最後作出具有普遍意義的哲學總結。如二章云："天下皆知美之為美，斯惡已；皆知善之為善，斯不善矣。故有無相生，難易相成，長短相形，高下相傾，音聲相和，前後相隨"；十一章云："三十輻，共一轂，當其無，有車之用。埏埴以為器，當其無，有器之用。鑿戶牖以為室，當其無，有室之用。故有之以為利，無之以為用"；二十章云："唯之與阿，相去幾何？美之與惡，相去若何"；二十四章云："企者不立，跨者不行；自見者不明，自是者不彰，自伐者無功，自矜者不長"；二十七章云："故善人者，不善人之師；不善人者，善人之資。不貴其師，不愛其資，雖智大迷，是謂要妙"；二十九章云："故物或行或隨，或歔或吹，或強或羸，或載或隳"；三十章云："以道佐人主者，不以兵強天下。其事好還。師之所處，荊棘生焉。大軍之後，必有凶年"；五十八章云："禍兮福之所倚，福兮禍之所伏。孰知其極，其無正。正復為奇，善復為妖"；六十三章云："圖難於其易，為大於其細。天下難事，必作於易；天下大事，必作於細"。通過大量的分析說明，老子最後得出了一個十分重要的結論："反者道之動，弱者道之用。天下萬物生於有，有生於無"。可以說這一句極具哲學內涵的表述是老子對自己整個哲學體系的高度概括。兩千多年前的老子能作出如此深刻的分析，達到如此認識的高度，確實難能可貴。老子的辯證法思想，第一次總結和概括出自然和社會普遍存在着的矛盾對立現象，對中國古代哲學思維的發展做出了突出貢獻。

“德”是老子哲學體系中與“道”相對應的又一個重要概念。高亨先生對“德”的定義是：“德者萬類之本性也”。他在《老子正詁》一書中說：“萬類殊體，各有本性。體具而性存，性見而體章。性乃自然，人為者不入性之域。性乃固有，後天者不歸性之範，故曰本性。萬類之本性，老莊胥名之曰德。”根據高亨先生的理解，在《老子》書中，“德”有兩種含義。第一，“德”即“道”之本性，或者可以說“德者道之用”。《老子》五十一章云：“道生之，德畜之，物形之，勢成之，是以萬物莫不尊道而貴德。道之尊，德之貴，夫莫之命而常自然。故道生之，德畜之，長之育之，亭之毒之，養之覆之。”宇宙是萬物的母體，生養萬物，然道、德也實為一體，不可斷分。所謂“長之育之，亭之毒之，養之覆之”，意思是不能區分何者為“道”，何者為“德”。第二，“德”即人之本性。《老子》全書無一“性”字，其所謂“德”即性也。二十八章云：“知其雄，守其雌，為天下溪。為天下溪，常德不離，復歸於嬰兒”；五十五章云：“含德之厚，比於赤子。毒蟲不螫，猛獸不據，攫鳥不搏。骨弱筋柔而握固。未知牝牡之合而朘作，精之至也。終日號而不嗄，和之至也”。老子以嬰兒為常德不離，以赤子為含德之厚，“德”即指性，且以人性為至善。“道”是老子思想的基礎，“德”是老子思想的主體，“道”、“德”之關係構成老子哲學的整體框架。

老子哲學，作為中國歷史上第一個相對完整、自成體系的哲學系統，對中國古代哲學和古代文化產生了巨大影響。自先秦開始的許多思想家及哲學流派都從老子哲學中得到了不同程度的啟發，老子思想成為中國文化的活水源頭。戰國時代的思想空前活躍，各家學派的思想主張儘管存在很大的差異，但似乎都可以看到老子思想影響的痕跡，有的甚至是在老子道論基礎之上的進一步推衍，其中，以莊子及其學派最為突出。莊子繼承並發展了老子的道論思想，對道體的闡釋比老子更為形象具體。《莊子·大宗師》云："夫道，有情有信，無為無形；可傳而不可受，可得而不可見；自本自根，未有天地，自古以固存；神鬼神帝，生天生地；在太極之上而不為高，在六極之下而不為深；先天地生而不為久；長於上古而不為老。"莊子認為，"道"雖然看不見，但卻是真實存在的，其作用是完全可以被人感知的；"道"具有先在性和永存性；"道"超越時空，為天地萬物之源。這顯然是對老子道論思想的繼承和發展。更為重要的是，莊子將老子的宇宙論和人生論進一步擴展到人內在的主體生命領域，將無法複述的人的內在直覺經驗和道體聯結在一起，強調體"道"的境界，強調道體與人心靈的合一。在《莊子》書中曾無數次展示這一無與倫比的生命境界，如《大宗師》云："孰能登天遊霧，撓挑無極，相忘以生，無所終窮"，"彼方與造物者為人，而遊乎天地之一氣"；《齊物論》云："至人神矣！大澤焚而不能熱，河漢沍而不能寒，疾雷破山、飄風振海而不能驚。若然者，乘雲氣，騎日月，而遊乎四海之外。死生無變於己，而況利害之端乎"；《逍遙遊》云："若夫乘天地之正，而御六氣之辯，以遊無窮者，彼且惡乎待哉"。莊子對老子思想創造性的繼承和整體上的超越，使得老莊哲學的理論體系更加完備，其作用和影響也更為深遠。

除莊子之外，先秦其他各家學說受老子的思想影響也極其明顯。如荀子“制天命而用之”的天道自然觀，否定“天”的超自然神秘性，主張把“天”當作客觀存在去把握和利用，明顯是受老子思想影響。法家韓非作《解老》、《喻老》，是最早的《老子》注，表明其對老子思想的推崇和重視。名、法相通，名家和老子思想的關係則更為明顯，正如呂思勉先生在《先秦學術概論》中所指出的那樣：“法因名立，名出於形，形原於理，故名法之學，仍不能與道相背也。”兵家許多思想則直接來源於老子，如老子所謂“因任自然”、“守約”、“以靜制動”等都被兵家當作重要的用兵之法，有些人則乾脆把《老子》也當作是一部兵書。

在中國漫長的封建時代中，老子思想或隱或顯，但是都持續不斷地產生着影響。黃老之學的黃老之言，實際上就是後人假託黃帝之口從老子思想中引申出來的道家言論。司馬談《論六家要旨》云：“其術以虛無為本，以因循為用”，又云：“因陰陽之大順，採儒墨之善，撮名法之要”。黃老之學，即是以老子思想為基礎，兼採眾家之言，將老子道論具體運用到政治層面的產物。如果說“虛”、“因”、“靜”三個方面可以代表黃老思想的主要特徵，那麼這三個方面無一不能在老子學說中找到依據。魏晉時期的玄學思潮也是以老莊思想為主幹，前期主要是發揮老子思想，中後期主要是崇尚莊學。隋唐時代，儒、道、釋並重，宋明理學則將儒、道、釋三家合為一體，道家思想成為理學本體論的重要組成部分。由於道家思想的長期影響，歷代對《老子》的注釋逐漸增多，《老子》章句之學在中國學術史上頗為受人重視。同時歷代失意文人也總是能在老子的思想中找到心靈的慰藉和精神的家園，從而將這種影響再擴展到中國古代文學和中國古代審美的領域中去。

老子的美學思想與其道論學說和“無為”思想直接聯繫，在審美意識上採取反功利主義的態度，崇尚自然之美。老子認為：“五色令人目盲，五音令人耳聾，五味令人口爽，馳騁畋獵令人心發狂，難得之貨令人行妨”，對這些愉悅耳目的淺層次的美一概予以否定。凡是那種“服文采，帶利劍”之美，都和一切“有為”的東西一樣，是淺層次的，必然給人的本性帶來損害。而真正的美並不在於聲色、富貴等外在的表現，自然之美是美的本質。如十九章云：“見素抱樸，少私寡欲”；四十一章云：“大音希聲，大象無形”。綜觀《老子》全書，幾乎所有關乎美的論述，諸如順物自然，反璞歸真等等，都是在於宣揚以“道”為核心的自然之美。老子的這些見解，觸及到審美境界的許多重要問題，揭示出審美活動中一種超越對藝術一般感知的審美體驗，首開中國古典美學追求自然、真美、意在言外、全粹之美等理論的先河，成為與儒家並行發展的重要美學流派。

老子以“道”作為美學的出發點和歸宿，以哲學談美學，提出了許多十分重要的美學命題。如“美”與“醜”。《老子》二章云：“天下皆知美之為美，斯惡已；皆知善之為善，斯不善矣。故有無相生，難易相成，長短相形，高下相傾，音聲相和，前後相隨。”這一段著名的論述，指出“美”作為一種社會現象，是在與“醜”的對立統一中顯示自身的，“美”與“醜”同其他所有對立的事物一樣，既相互依存，又相互轉化，這不僅表明了老子對美醜關係的深刻認識，更體現出中國古典美學極其可貴的樸素辯證法思想。又如“虛”與“實”。老子認為作為萬物本體的“道”，是“虛”與“實”的有機統一，自然界天地萬物也是“虛”與“實”的對立統一。如五章云：“天地之間，其猶橐籥乎！虛而不屈，動而愈出”；十一章云：“三十輻，共一轂，當其無，有車之用。埏埴以為器，當其無，有器之用。鑿戶牖以為室，當其無，有室之用”。虛實理論後來成為中國文學和藝術創作的重要美學原則。再如“言”與“意”。《老子》一章云：“道，可道，非常道；名，可名，非常名”，老子認為作為萬物本原和宇宙本體的“道”，人是無法用清晰的語言去表述的，因而提出用“靜觀”、“玄覽”的方法去把握，這種帶有一定神秘色彩的言意觀，把人們的審美領域引向了一個更為深遠的境界，求解言外的審美趣味由此成為中國古典美學的一個重要特徵。另外，老子對形神關係的闡釋也成為後來美學思想重要的原範疇理論。形神關係是中國哲學的重要問題，也是美學史上的重要問題，而最早從哲學上對形神關係加以探討的即是老子，他認為從形而上與形而下的角度而言，“形”和“神”的關係直接體現為“物”和“道”的關係。後來在漢代的《淮南子》中老子的這一思想得到了進一步的發展，魏晉南北朝時期，六朝美學“傳神”、“神似”的理論一度成為評價藝術作品和審美活動的重要準則，形神理論逐漸發展與成熟。

文學史上《老子》的影響主要體現於其自身的文學成就。一方面，老子詩一樣的筆觸使其哲學著作極富文采，文章富於詩歌的節奏和韻味。《老子》全章以三、四、五言為主，短促錯落，隨處用韻，文章極富美感。如二十章：“唯之與阿，相去幾何？美之與惡，相去若何？人之所畏，不可不畏。荒兮其未央哉！眾人熙熙，如享太牢，如春登台。我獨泊兮其未兆，沌沌兮如嬰兒之未孩，儽儽兮若無所歸。眾人皆有餘，而我獨若遺。我愚人之心也哉！俗人昭昭，我獨昏昏；俗人察察，我獨悶悶。澹兮其若海，飂兮若無止。眾人皆有以，而我獨頑且鄙。我獨異於人，而貴食母"；二十一章："道之為物，惟恍惟惚。惚兮恍兮，其中有象；恍兮惚兮，其中有物。窈兮冥兮，其中有精；其精甚真，其中有信"；三十九章："昔之得一者，天得一以清，地得一以寧，神得一以靈，谷得一以盈，萬物得一以生，侯王得一以為天下貞"。這些詩境迷惘恍惚，極具抒情色彩的文句，使得抽象的理論闡釋富有情致和詩意；平直簡約的語言又意旨深遠，詩意之中傳達出精奧的道理。有些內涵深刻的哲理辨析甚至還具有濃厚的文學意味，如二十三章云："故飄風不終朝，驟雨不終日。孰為此者，天地。天地尚不能久，而況於人乎"。有些看似平淡的語言卻寄寓深刻，耐人尋味，同時還透漏出一種特有的精神旨趣，如五章云："天地不仁，以萬物為芻狗；聖人不仁，以百姓為芻狗。天地之間，其猶橐籥乎！虛而不屈，動而愈出"；七十八章云："天下莫柔弱於水，而攻堅強者莫之能勝，以其無以易之。弱之勝強，柔之勝剛，天下莫不知，莫能行"。所有這些成就，使得《老子》在先秦散文史上獨具特色，並為後來歷代文章家所讚賞。

老子的成就和影響是多方面的，今天我們研讀《老子》仍能得到多種教益和啟示。

歷代注釋《老子》者甚眾，以致《老子》一書雖僅五千餘言，然而關於《老子》的各種形式的著述，卻在千餘種以上，在中國學術史上，只有孔子《論語》可以比肩。古往今來的這些《老子》研究成果，滙成了一條流淌不息的“老學”河流，其中滙集着歷代注家的學術智慧。所以，《老子》一書之精義，除不可解者外，經過古今學者的考證和闡發，已基本得以顯現。情況雖然如是，但是也存在着另一方面不容忽視的事實，即古今各種關於《老子》的著述，歧義異說，紛繁交織，至於文句考訂方面，諸家更是多有差別。導致這種情況的產生，原因有三：一、老子思想學說本身之深邃難解；二、流傳至今的各種《老子》版本文字上的已經無法準確參校、考訂的舛錯；三、歷代學者思想認識方面的差異。所以，雖然經過古今眾多學者的參校、考訂、詮釋，但事實卻是《老子》至今仍是中國古籍中最難讀的書之一。當然，其過既不在歷代“老學”家，更不在老子本人，也不在讀者。

本評注雖然包含了自己多年研讀《老子》的一些心得，但是這種心得似乎更多地體現在對古今眾多的關於《老子》的種種考訂、注解、闡釋之選擇、認同方面。朱謙之先生在《老子校釋·序文》中說：“淺學如余，非敢有越前修諸子，蓋惟衷取群解，略發指趣，亦欲以此去偽存真，竭其綿薄，以復《五千言》古本與乎聲韻文句之真，並藉以窺見古代哲學詩之真面目焉。”學界前修尚且如此之說，則淺學如我者，恐怕連言“衷取”、“略發”之期盼都汗顏而難以啟齒了。在評注的過程中，大量地參閱、吸收了古今眾多注《老》、解《老》以及參校、考訂《老子》的成果，雖然在行文中盡量予以標出，但是難以一一詳盡，故書後列有參考書目，其用意不外有三：一、以示在知識產權方面對前人和時賢之尊重；二、以示本評注中的種種說法、選擇皆非敢出自一私之杜撰和臆測，而力求有所本；三、通過這一參考、引用文獻，為讀者提供一個進一步深入研讀《老子》的最低限度的書目。

筆者學植淺薄，書中紕謬之處，在所難免，祈請方家指正。在評注過程中，王秀臣、呂斌二君，嘉惠甚多，在此謹表謝忱。

党聖元

丁亥年二月二十日

一章

道，可道，非常道；[1]名，可名，非常名。[2]

無，名天地之始；有，名萬物之母。[3]

故常無，欲以觀其妙；常有，欲以觀其徼。[4]

此兩者，[5]同出而異名，同謂之玄。[6]玄之又玄，眾妙之門。[7]

注釋

1. 第一和第三個“道”字屬名詞，為老子所用的一個哲學範疇。在老子的哲學體系中，“道”是先於宇宙的永恒存在和宇宙萬物的本原，它無所不在，永世長存，卻又無法感知。第二個“道”字是動詞，猶言“說得出”。常：恒，不變之謂。《馬王堆漢墓帛本老子》（以下簡稱帛書本）“常”即作“恒”，後漢代人避漢文帝劉恒諱改“常”字。
2. 第一和第三個“名”字屬名詞，即指稱“道”時所用之“名”，即“道”的名稱，為老子所用的一個術語。第二個“名”是動詞，猶言“叫得出”。“常名”帛書《老子》作“恒名”。
3. 此二句漢代嚴遵、三國王弼均以“無名”、“有名”斷句，後從者甚眾，而宋代王安石以“無”、“有”為逗，“無”、“有”均指“道”。道“視之不見”，“聽之不聞”，“搏之不得”（《老子》十四章），故曰“無”；但是道又“有象”、“有物”、“有精”（《老子》二十二章），能產生天地萬物，故曰“有”。簡言之，“無”指“道之體”，“有”指“道之用”。
4. 妙：王弼注曰“微之極也”，精微莫測之意。徼：邊際、邊界，引申為廣大無際之意。

5. 兩者：指“無”與“有”。
6. 同出：同出於“道”。異名：即“無”與“有”。玄：深黑色，此處指深微幽遠、神秘莫測之意，是對“無”和“有”的一種形容。
7. 眾妙之門：一切精妙變化的總門戶。

串講

可以用言語表達的“道”，就不是永恒的“道”；可以稱謂的“名”，就不是永恒的“名”。

“無”，是天地之原始；“有”，是萬物之根源。

所以，應該從萬物永恒的原始狀態中去觀察“道”的奧妙，體驗它精微莫測的特性；從萬物不變的根本之處去觀察“道”的顯豁，體驗它廣大無際的特性。

“無”與“有”，兩者同出一源而名稱各異，都可以說是深遠莫測。從有形的深遠向無形的深遠探尋，這是一切精妙變化的總門戶。

評析

“道”是老子哲學體系中的一個核心概念，本章開宗明義地提出這一重要哲學範疇，並對其內涵進行了闡釋。對“道”的理解直接關係到對老子哲學體系的整體認識。全篇通過“道”與“名”、“無”與“有”等相關概念的辨析，旨在說明“道”的不可言說性，“道”是天地萬物的根源和原始。“無”並非現代意義上的“沒有”，它暗含着無限未顯現的生機，蘊涵着無限之“有”，揭示出“道”不能為人感官所認識的特殊本性。

因此，老子之“道”實質上包含了“有”與“無”兩種具體的存在形態。從表面上看，“道”是一種靜態存在，從“有”與“無”的辨證關係而言，“道”又是一個不斷從“無”到“有”，再從“有”到“無”的動態過程，“無”與“有”的聯繫正好體現出“道”由形而上到形而下的變化軌跡，體現出“不見其形”的“道”與具象世界的密切聯繫。整體而言，對“道”的內涵可作如下幾方面的理解：（一）“道”是宇宙萬物的本原和原始；（二）道體現出宇宙萬物運動變化的規律，是推動這一變化的動力；（三）“道”是人類社會生活的準則；（四）“道”具有不可言說性，不可概念化，但並非不可認識。

老子之“道”“形而上”意義的擴展，使其成為先秦諸子哲學最為重要的哲學範疇，進而演變成中國古代哲學的重要命題，對後世產生了深遠的影響。如《莊子．大宗師》云：“夫道，有情有信，無為無形；可傳而不可受，可得而不可見。”《莊子．天地》云：“夫道，覆載萬物者也，洋洋乎大哉！”《莊子．天道》云：“夫道，於大不終，於小不遺，故萬物備。”《鶡冠子．環流篇》云：“無不備之謂道”。《荀子．解蔽》云：“夫道者體常而盡變，一隅不足以舉之”。《韓非子．解老》云：“道者，萬物之所然也，萬理之所稽也”。這些觀點都直接繼承了老子的思想，成為中國古代哲學的重要理論來源。

二章

天下皆知美之為美，斯惡已；[1]皆知善之為善，斯不善矣。

故有無相生，難易相成，長短相形，[2]高下相傾，[3]音聲相和，[4]前後相隨。

是以聖人處無為之事，[5]行不言之教，[6]萬物作焉而不辭，[7]生而不有，[8]為而不恃，[9]功成而弗居。[10]夫唯弗居，[11]是以不去。

注釋

1. 斯：於是、就。惡：醜。已，通“矣”。
2. 形：王弼本作“較”，河上公本、傅奕本、《景龍碑》，以及其他古本皆作“形”，帛書甲、乙本作“刑”，“刑”、“形”音近假借；畢沅《老子道德經考異》說：“古無‘較’字。本文以‘形’與‘傾’為韻，不應作‘較’。”畢說可從。
3. 傾：向。“傾”字帛書本作“盈”，張松如《老子校讀》以為“當是避漢孝惠帝劉盈諱而改，‘盈’義長”，可從。
4. 音聲：聲，指宮商角徵羽各個單一的音；音，指宮商協調的音節。此處言音聲協調方才成為音樂。
5. 無為：順應自然，不強施外力干預之。
6. 不言：不發號施令。言，指政教號令；“不言之教”即指不以號令教戒治理天下，而是體合天道，效法自然，此亦“無為”精神的體現。
7. 作：發生、興起的意思，指自然發生。“不辭”，傅奕本、敦煌本皆作“不為始”，古“始”、“辭”音同，因而致異，作“不為始”

較妥，且與下句叶韻。

8. 不有：不據為己有。

9. 不恃：不恃恩圖報。

10. 弗居：不居其功。

11. 夫唯：關聯詞，相當於"由於"、"正因為"，為《老子》中常用的一種關聯詞。

串講

天下的人都知道"美"之所以為"美"，"醜"的觀念也就相應地產生了；都知道"善"之所以為"善"，"不善"的觀念也就相應地產生了。

"有"和"無"在對立中相互生成，"難"和"易"在對立中相互轉化，"長"和"短"在對立中相互顯現，"高"和"下"在對立中相互包含，"音"和"聲"在對立中相互和諧，"前"和"後"在對立中相互區分。

因此，有道之人以無為的態度來處理事情，施行不用言詞的教化。讓萬物興起而不自以為始；生養萬物而不據為私有；有所施為而不恃恩圖報；事情成功了而不自居有功。正因為不居功，所以他的功績才會永存。

評析

高亨《老子正詁》云："本章前八句為老子之相對論，此後八句為老子之政治論，文意截然不相聯。"陳鼓應先生認為此說可作參考（《老子注譯及評介》），黃瑞雲先生認為高說非是（《老子本原》）。從整體看，全章前後各八句，分別從兩個方面闡釋了老子的“無為”思想，進而說明“道”的絕對性與永恒性。前八句集中論述了老子的辯證法思想。有了“美”的觀念就會產生“醜”的觀念，“善”“惡”、“有”“無”、“難”“易”、“長”“短”、“高”“下”等觀念都是在對立中形成，正如張舜徽先生《老子疏證》云：“《老子》言事物之可名者，如‘有’‘無’、‘難’‘易’、‘長’‘短’、‘高’‘下’、‘音’‘聲’、‘前’‘後’之類，皆以相對而存在。且皆相互依賴，彼此轉化，包含有樸素辯證法思想。”此處“有”與“無”同第一章中表示“道”存在狀態的“有”“無”含義有別。形而下的一切現象所具備的相對性和變動性，正好反襯出形而上之“道”的絕對和永恒。

後八句集中論述“聖人無為”。“道”的絕對和永恒表現為具象的相對性和變動性，“善”“惡”、“有”“無”、“難”“易”、“長”“短”、“高”“下”等辨證統一的範疇正是通過聖人的體道得以實現的，而體道的途徑正是“無為”。“道”、“聖人”和“無為”三者之間存在着一種內在邏輯聯繫，即“道”自然無為——聖人體道——聖人無為。這種關係表明聖人在聯繫“道”和具象性事物之間的重要性，以“無為”作為行為方式的聖人因此也被賦予了特殊的內涵。陳鼓應《老子注譯及評介》認為：“這裏所謂的‘聖人’是理想人物的投射……‘聖人的行事，依循着自然的規律而不強作妄為。’”張舜徽先生《老子疏證》則將“聖人”理解為“人君”：“聖人，指善為人君者，亦即深通君道之人。此段文字為闡明君道而發，而歸結為‘處無為之事，行不言之教’，意甚顯豁。”“聖人”即按照“道”的要求，尊重事物的客觀規律去辦事的人。

三章

不尚賢，[1]使民不爭；不貴難得之貨，[2]使民不為盜；不見可欲，[3]使民心不亂。

是以聖人之治，虛其心，[4]實其腹，弱其志，強其骨。常使民無知無欲。使夫智者不敢為也。為無為，則無不治。[5]

注釋

1. 尚賢：崇尚賢人。“尚賢”乃先秦時期重要思想和常用詞語。
2. 貴：以為貴重。貨：指貴重財物。
3. 見：通“現”，顯露、炫耀的意思。
4. 虛其心：使人民內心清淨，沒有私慾和憂慮。
5. 為無為：以“無為”的方式行事。此二句亦即三十七章“無為而無不為”之意。

串講

不推崇賢才異能之人，使民眾不爭奪；不珍愛難得的財貨，使民眾不偷盜；不顯耀足以激發貪慾的事物，使民眾不作亂，不破壞既存的秩序。

因此，有道之人治理天下，更注重讓人民內心清淨，沒有私慾和憂慮，滿足人民的安飽，減損人民的心志，增強人民的體魄。永遠使人民去除偽詐之心和爭盜之慾。使那些自作聰明的人不敢妄為。按照“無為”的原則和態度去處理世務，天下就沒有不治的道理。

評析

“反對尚賢”、“無為而治”是老子的重要思想主張。黃瑞雲先生《老子本原》認為，本章承前章後八句老子“無為之治”思想而來，具體提出“不尚賢”、“不貴難得之貨”、“不見可欲”，以使民沒有爭心，不爭名位，不爭財貨，思想也不惑亂。此言極是。前章說：“有無相生，難易相成，長短相形，高下相傾，音聲相和，前後相隨”，這說明宇宙間萬事萬物都是在相生相成、對立統一中存在，“聖人之治”便是建立於這樣的基礎之上，“為”與“無為”也正是這種對立統一關係的邏輯延伸。蔣錫昌《老子校詁》云：“丁易東云，‘前章自無名中來，此章自無欲中來，而皆歸於無為’。其言是也。”老子認為，名位的爭逐與財貨的貪圖是引起人們巧詐偽作心智產生的原因，同時也是引起社會混亂與衝突的根源。“無知”、“無欲”才是解決這些問題的根本辦法。陳鼓應先生《老子注譯及評介》解釋說：“所謂‘無知’，並不是行愚民政策，乃是消解巧偽的心智。所謂‘無欲’，並不是要滅除自然的本能，而是消解貪慾的擴張。”

老子這一思想與其自然之“道”一脈相承，並在以後各章中得到了進一步的引申和明確。如五章：“天地不仁，以萬物為芻狗”。萬物自生自長，不能干涉，不能強制，此乃“天之道”。三十二章：“天地相合，以降甘露”；“民莫之令，而自均焉”。“人道”與“天道”，其本性皆是“無為”。這樣，“無知”、“無欲”、“無為”成為老子體道的有效方式。

莊子也有類似見解。《莊子·馬蹄》云：“同乎無知，其德不離；同乎無欲，是謂素樸；素樸而民性得矣。”《莊子·天地》云：“古之畜天下者，無欲而天下足，無為而萬物化，淵靜而百姓定。”在《駢拇》一篇中，莊子更是用講故事的形式對老子“反對尚賢”、“無為而治”的思想主張做了更為形象的闡釋。《莊子·駢拇》云：“有虞氏招仁義以撓天下也，天下莫不奔命於仁義。是非以仁義易其性與？故嘗試論之：自三代以下者，天下莫不以物易其性矣。小人則以身殉利，士則以身殉名，大夫則以身殉家，聖人則以身殉天下。故此數子者，事業不同，名聲異號，其於傷性以身為殉，一也。臧與谷，二人相與牧羊而俱亡其羊。問臧奚事，則挾筴讀書；問谷奚事，則博塞以遊。二人者，事業不同，其於亡羊均也。伯夷死名於首陽之下，盜跖死利於東陵之上。二人者，所死不同，其於殘生傷性均也。奚必伯夷之是而盜跖之非乎！天下盡殉也，彼其所殉仁義也，則俗謂之君子；其所殉貨財也，則俗謂之小人。其殉一也，則有君子焉，有小人焉；若其殘生損性，則盜跖亦伯夷已，又惡取君子小人於其間哉？”

四章

道沖，[1]而用之或不盈。[2]淵兮，[3]似萬物之宗；（挫其銳，解其紛，和其光，同其塵。[4]）湛兮，[5]似或存。

吾不知誰之子，[6]象帝之先。[7]

注釋

1. 道沖："沖"通"盅"，訓"虛"。《說文》："盅：器虛也。""沖"用以形容"道"，意指道體虛無。
2. 盈：滿。不盈，沒有窮盡的意思。
3. 淵：深遠。
4. 此四句又見於五十六章，陳鼓應《老子注譯及評介》、黃瑞雲《老子本原》以為係五十六章文而錯簡衍出於此章，黃又曰王弼本本章不注此四句，而五十六章有注，則王弼本此四句亦為五十六章文，可從。注解見五十六章。
5. 湛：深沉、隱約，形容"道"的隱而不顯。
6. 誰之子：意謂從何而生。
7. 象：好似。帝：天帝。此句即二十五章"有物混成，先天地生"之意。

串講

道體空虛無形，而其作用卻無窮無盡。它是那樣的淵深啊，好像是萬物的主宰。掩損自己的鋒芒，排解自己的紛擾，隱蔽自己的光耀，把自己混同於塵俗之中。它是那樣的深沉隱約、無形無象，似亡而實存。

我不知道它從何而生，它好像是在天帝之前就早已存在了。

評析

本章揭示“道”空虛無形之本質，道體無形無象卻隱藏着無盡的創造力。道體虛無的特性決定了“道”不可道，正如《莊子 · 知北遊》所云：“道不可言，言而非也。”然而，虛無的道體並不意味着“道”是一無所有，相反，虛體之中隱含着無限的生機和創造因子，“道”的作用無可限量。高延第《老子證義》云：“沖，虛也。無為之道，虛靜淵深，濡潤萬物，不

老子騎青牛青銅塑像

以盈滿為事。宗，主也。萬物被其化，故為之宗。挫其銳，謂反於太樸，不為厓異；解其紛，謂清靜自處，不與物相攖；和其光，不自表暴，光而不耀也；同其塵，不修身以明污，受天下之垢也。湛，沒也，安也。言無為之人藏身萬物之上，若存若亡。帝謂天帝，言無為之道，為萬物母，誰得而子之非獨不得子，此道實先天地而有也。”本章正是通過道體虛無特性的剖析，從另一個角度再次申述“無為”思想。

嚴復《老子道德經評點》云：“此章專形容道體，當玩‘或’字與兩‘似’字方為得之。蓋道之為物，本無從形容也。”這是對本章主旨的準確概括。“用之或不盈”、“似萬物之宗”、“似或存”，都是用含混的詞語來比喻“道”之特性，但這樣的比喻並不是對“道”作科學意義上的概念界定。事實上，要對“道”作精確的、理性的闡釋是極其困難，甚至是不可能的。解釋越具體，越精確，離“道”的真正內涵就會越遠。“道”既可見，又不可見；既可感知，又玄妙難尋。只可意會，不可言傳之“道”需要人去領會和體悟。奚侗云：“道不可見，故云‘湛’。《說文》：‘湛，沒也。’《小爾雅·廣詁》：‘沒，無也。’道若可見，故云‘似若存。’十四章‘無狀之狀，無物之象’，二十一章‘忽兮怳兮，其中有象；怳兮忽兮，其中有物’，即此。”因此，“或”與“似”這樣的表述本身實質上就已經暗含了對“道”特性的精確評價，同時，這樣的比喻又將“道”和“物”聯繫起來，形象地表明道體虛無的內容。“道”是萬物之宗主，是一切事物賴以生存與發展的原在動力，是於紛繁複雜的對立現象中抽象出的辯證統一。故結尾又總結說：“吾不知誰之子，象帝之先”。

五章

天地不仁，[1]以萬物為芻狗；[2]聖人不仁，以百姓為芻狗。

天地之間，其猶橐籥乎！[3]虛而不屈，[4]動而愈出。[5]

多言數窮，[6]不如守中。[7]

注釋

1. 不仁：這裏指無情無私，無所偏愛。
2. 芻狗：用草紮成的狗，古代祭祀時所用，用畢即拋棄，毫不惜之。
3. 橐籥：古代冶煉時用以鼓風吹火的器具，類於後世的風箱。橐為箱之外殼，籥為箱內送風之管。
4. 屈：竭、盡。
5. 愈出：生生不已之意。
6. 言：意指各種政教法令，並非僅限於言語；"多言"則指政令繁多。數：通"速"，加快的意思。也可作術、策謀解，亦通。帛書甲、乙本，遂州碑本均作"多聞"。張舜徽《老子疏證》云："凡人以多聞博識自許，其心必不能虛。此二語乃謂人君不以多聞博識為尚，而必以清虛自守也。"
7. 守中：即"守沖"，指守持虛靜。中，通"沖"，虛、空之意。

串講

天地無情無私，沒有任何偏愛，把萬物當成祀神用的芻狗一樣看待，任憑它自然生長；聖人也無情無私，沒有任何偏愛，把百姓當成祀神用的芻狗一樣看待，任憑它自由發展。

天地之間，不正如風箱一樣嗎？空虛而不窮盡，發動起來就會生生不息。

政令繁多就會加速敗亡，還不如守持虛靜，遵守自然的法則。

評析

本章講天地虛空而生萬物，人亦當取法自然。老子將天地之特性概括為兩個方面：

一方面是“不仁”，即文中所謂“天地不仁，以萬物為芻狗”。天地無私無為，順任自然，不偏所愛，它只是物理的、自然的存在着，不具備思想、意志和感情，無所謂美、醜、善、惡，也無所謂愛憎。因此，“不仁”的表現即為無私。

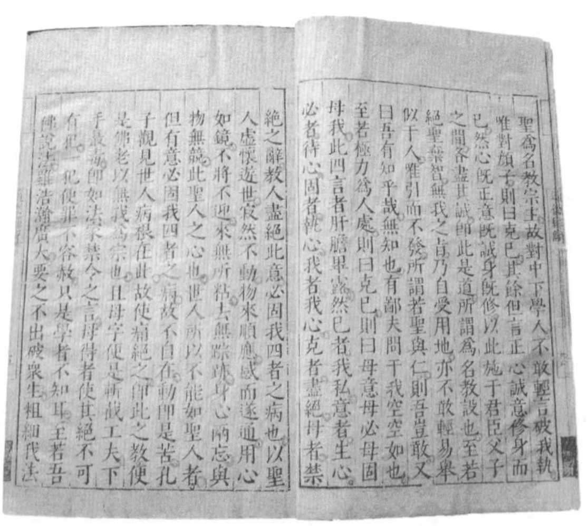
聖爲名教宗主故對中下學人不敢輕言破我執
唯對顏子則曰克己其餘但言正心誠意修身而
已然心既正意既誠身既修以此施于君臣父子
之間各盡其誠即此是道所謂爲名教設也至若
絕聖棄智無我之旨乃自受用地亦不敢輕易舉
似于人雖引而不發所謂若聖與仁則吾豈敢又
曰吾有知乎哉無知也有鄙夫問于我空空如也
至若極力爲人處則曰克己則曰毋意毋必毋固
毋我此四言者肝膽畢露然己者我私意者生心
必者待心固者執心我者我心克者盡絕毋者禁
絕之辭教人盡絕此意必固我四者之病也以聖
人虛懷遊世寂然不動物來順應感而遂通用心
如鏡不將不迎來無所粘去無蹤跡身心兩忘與
物無競此聖人之心也世人所以不能如聖人者
但有意必固我四者之病故不自在動即是苦孔
子觀見世人病根在此故使痛絕之即此之教便
是佛老以無我爲宗也且毋字便是斬截工夫下
手最毒即如法家禁令之言毋得者使其絕不可
有犯一犯便罪不容赦只是學者不知耳至若吾
佛說法雖浩瀚廣大要之不出破衆生粗細我法

明建業憨山道者釋德清著《老子道德經解》

“仁”與孔子所謂“仁”含義有別。此“不仁”乃“虛”之表徵，天地聖人具備。王弼注曰：“天地任自然，無為無造，萬物自相治理，故不仁也。仁者，必造立施化，有恩有為。”張舜徽先生《老子疏證》云：“天地大矣，值春生夏長之時，則草木任其怒茁，百花任其競芳，有似乎用之以飾美大地也。迨乎歲功既成，風寒以襲之，冰雪以摧之，葉落枝折，同歸枯萎，徒給蘇樵而已。老子因近取譬，故曰‘天地不仁，以萬物為芻狗’也。”

另一方面是“虛空”。天地之間無限的虛空，包容着天地的運行和萬物的生生不息。天地本體雖為虛空，萬物生長無以窮盡，常動搖之而變化無窮。“虛而不屈，動而愈出”，虛空之動成為產生萬有的根源。正如《禮記·樂記》所云：“陰陽相摩，天地相蕩，鼓之以雷霆，奮之以風雨，動之以四時，煖之以日月，而百化興焉。”天地虛空而又生生不已，正是老子“無為”之本義。

天道如此，人道亦然。老子以天道證人道，由自然而推及社會，由唯物主義天道思想推及“無為而治”的理想社會。“多言數窮，不如守中”，即在天道啟示下，人自當取法自然，無需多所言議，應篤虛守靜，任其自然而已。

六章

谷神不死，[1]是謂玄牝。[2]玄牝之門，[3]是謂天地根。綿綿若存，[4]用之不勤。[5]

注釋

1. 谷神："道"之別名。谷，溪谷。溪谷空虛，而"道"亦虛無，故以"谷神"為"道"之別名。
2. 玄牝：玄妙的母性，這裏指孕育創生出天地萬物的"道"。玄，本義為深黑色，引申為深遠、神秘、微妙難測之意。牝：本義指雌性的獸類動物，這裏借喻具有無限的、不可思議的創生能力的"道"。
3. 門：指產門。此句連同下句是以雌性生殖器產門喻"道"為造化天地生育萬物的根源。
4. 綿綿：連續不斷的樣子。黃瑞雲《老子本原》以為"綿綿""猶緡緡，無形之貌"，亦可。
5. 不勤：永無窮盡。勤：盡、竭。

串講

"道"虛空變化，永不停歇，永恒存在，這是它深遠、神秘、微妙難測之母性。微妙的母性之間，是造化天地生育萬物的根源。它連綿不絕，永無窮盡，其作用也無窮無盡。

評析

本章亦是形容"道"，並從三個方面對"道"進行了描述。

首句以“谷神”喻“道”。陳鼓應《老子注譯及評介》云：“用‘谷’來象徵道體的‘虛’狀。用‘神’來比喻‘道’生萬物的綿延不絕。”朱熹《朱子語類》云：“谷只是虛而能受，神謂無所不應。”嚴復云：“以其虛，故曰‘谷’；以其因應無窮，故曰‘神’；以其不屈愈出，故曰‘不死’。”《列子・黃帝篇》引此章張湛注：“至虛無物，故謂谷神；本自無生，故曰不死。”諸多種解釋說法不同，意見一致，都認為是以“谷神”喻“道”，描繪“道”虛懷若谷，用之不竭的特性。谷神來源於山谷的形象，深邃、空寂是“谷”的特點，而“道”正像“谷”一樣有着虛空、幽深的特性，以“谷”喻“道”，形象而且深刻。“神”則非指鬼神之神，而只是化用神無所不能的本領，喻指“道”神妙難測的作用。在老子書中曾多次以“神”來喻指“道”，二十九章云：“天下神器，不可為也，不可執也”；三十九章云：“神得一以靈，谷得一以盈”；六十章云：“以道蒞天下，其鬼不神。非其鬼不神，其神不傷人”。谷神之形象是“道”的象徵。

第二句以“玄牝之門”喻“道”，說明“道”乃天地萬物之原始。老子把神妙莫測、變化無窮的“虛空”稱為“玄牝”，以此說明“道”就像母性一樣具有生育萬物的能力，即“道”在物先，“道”生萬物。“玄牝”的特點也在於空虛，在於其不同於他物的包容性，與“谷神”相比，內涵更為抽象，喻指更為明確。“玄牝之門”則更進一步突出和強調“玄牝”的虛空、包容特性，用以更準確地喻指“道”的宇宙起源性質及其形而上意義。“天地根”則是對“谷神”、“玄牝”、“玄牝之門”等一系列形象化比喻的總結。全章構成層層深入的象徵系列，將“道”的本源性、永恆性作了最為形象、準確的闡釋。《莊子·知北遊》云：“惛然若亡而存，油然不形而神，萬物畜而不知。此之謂本根，可以觀於天矣”，莊子這裏所講的“本根”和老子所謂“天地根”一樣也是喻指“道”，是以比喻的形式對“道”整體性質的說明，在道家著作裏，“天地之根”實已成為一個特殊而重要的哲學範疇。

末句指出“道”生育萬物過程中的不可窮盡性，對全章具有總結意義。理解全章主旨，可參見高延第《老子證義》對本章評語：“此章《列子》以為《黃帝書》中語，《老子》引之。道本虛靜，體用兼該。谷神者即‘為天下谷’之谷，喻其深也。不死，猶云‘至誠不息’、‘常德不離’也。玄牝即釋谷神，謂其虛靜幽深。無為之道，深藏若虛，而先天地，母萬物，谷為天地根。綿綿，不絕貌。惟其藏之深，守之固，是以存而不亡也。用之不勤，所謂我無為而民自化，不必煩苦創製以相擾也。”

七章

天長地久。天地所以能長且久者，以其不自生，[1]故能長生。

是以聖人後其身而身先，[2]外其身而身存。非以其無私邪？[3]故能成其私。[4]

注釋

1. 以：因為。不自生：不自營其生，亦即“無私”。
2. 後其身：把自己放在後面，也就是謙讓、退縮。下句“外其身”指把自己置之度外。
3. 無私：無我、無己。邪：助詞，同“耶”，表示疑問語氣。此句河上公本、《景龍碑》俱作“以其無私”，帛書乙本“非”作“不”。
4. 成其私：成就自己。

串講

天地長久地存在着，它之所以如此，是因為它的一切運作都不是為自己的一己私利。

有道之人謙讓、退縮，把自己放在別人後面，反而能贏得別人的愛戴和尊敬；把自己置之度外，反而能得到保全。不正是由於他不自私嗎？不自私者反而能成就自己。

評析

本章老子從對宇宙自然界的描述和判斷中總結出一般性的

規律，並以此作為立論的依據，論述聖人處世的原則。黃瑞雲《老子本原》云：“老子思想，均由對自然的認識而推及人事。本章所論，最為典型。天地之所以能長久，在於它不自生。聖人以自然為師，無我乃能有我，無私乃能成其私。”“天地所以能長且久者，以其不自生”，是老子從觀察自然現象中得出的結論和規律，由此得出聖人的行為準則應該是“後其身”和“外其身”。天地的運作不為自己，聖人的行為沒有貪心，以“天道”喻“人道”，本章確為典型。

唐吳道子繪老子像

《淮南子．道應訓》云：“公儀休相魯，而嗜魚。一國獻魚，公儀子弗受。其弟子諫曰：夫子嗜魚，弗受何也？答曰：夫唯嗜魚，故弗受。夫受魚而免於相，雖嗜魚，不能自給魚；毋受魚而不免於相，則能長自己魚。此明於為人為己者也。故老子曰：後其身而身先，外其身而身存。非以其無私邪？故能成其私。”這則故事是說公儀休愛吃魚，做魯國國相時，有人給他送魚他卻拒絕了。因為他知道，不接受賄賂就能長期為相，不被罷相就能常常吃到愛吃的魚了。這一則故事形象地說明了“天地所以能長且久者，以其不自生”的內涵和本章老子的含義。“人道”以“天道”為依歸，大自然的運行對應於社會具體事物，是老子一貫的思想主張。老子認為，天地之所以能長且久，原因在於天地的存在不為自己，由此推及人類社會，聖人也應該效法天地，像天地一樣謙虛、退讓，不自私自利，以此治理國家，則既可以使自己贏得百姓的尊重與信任，又能保持天下長治久安。

另外，本章還列舉了“不自生”與“自生”、“後身”與“身先”、“外身”與“身存”、“無私”與“成私”等一系列對立統一的範疇。這些範疇既相反相成，又可以互相轉化，重點強調對立事物可以轉化的觀念認識，並說明轉化的條件和方式，具有深刻的辯證法思想。在今天看來，其現實借鑒意義仍然十分明顯。

八章

上善若水。[1] 水善利萬物而不爭，處眾人之所惡，[2] 故幾於道。[3]

居善地，[4] 心善淵，[5] 與善仁，[6] 言善信，[7] 正善治，[8] 事善能，動善時。[9]

夫唯不爭，故無尤。[10]

注釋

1. 上善：崇高的德行，猶“上德”。
2. 處眾人之所惡：水總是流往低下之處，而“下流”則是眾人所厭惡的，故曰“處眾人之所惡”。
3. 幾於道：近於道。幾，接近。
4. 居善地：處於卑下之地。地，低下之處。
5. 心善淵：心靜如水那樣淵深寂靜。淵，形容沉靜。
6. 與善仁：與人交接如水那樣相親、無私而不圖報。與，和別人交接。
7. 言善信：出言有誠信而不妄。
8. 正善治：為政如水那樣講條理而有治跡。正，通“政”。
9. 動善時：行動善於掌握時機。
10. 尤：怨咎、罪責。

串講

崇高的德行就好像水一樣。水滋潤萬物而又不與之相爭，它總是處於眾人所厭惡的低下之處，所以最能接近於“道”。

上善之人處於卑下之地，心靜如水那樣善於保持寂靜；與人交接如水那樣相親、無私而不圖報；說話像水那樣堵塞必止，開決必流，出言有誠信而不妄；為政如水那樣講條理而有治跡；處事像水那樣隨物成形，善於發揮所長，行動像水那樣涸溢有時，善於掌握時機。

像水那樣與物無爭，就不會有過失。

評析

本章承上章由自然而推及人事的思路，以水為喻，主張以柔克剛，以退為進。河上公《老子道德經》注云：“上善之人，如水之性。”世間萬物，靠水滋潤生存，故曰“水善利萬物”。《管子·水地篇》云：“水者，何也？萬物之本源也，諸生之宗室也。”水之本性乃“道”體的象徵。高延第《老子證義》云：“水柔而處下，又能滋養萬物，受天下之垢，故近於道。惡謂川澤納污，此皆水之性也。”水柔和、就下、沉靜，滋潤萬物而無取於萬物，無私無爭，無慾無為，以不爭爭，以無私私，這些對水特徵的描述，實質上也是對“道”的描述。老子以水喻“道”，也以水喻人，認為“上善若水”，上善之人應該像水那樣，做到謙虛、退讓、柔和、誠信、利物、不爭，水的品格同樣也是人的品格，具有“水”德的聖人乃“道”的實踐者。

中間七句對水性的描述，以水為喻，極為精彩，但歷代注家多有歧義。 張舜徽先生《老子疏證》云：“自來注說此數句者，多不得其解。惟河上公與蘇氏說就水善立訓，曲達其旨，可從也。古人稱說物象之美，每好以人之德行比擬之。《老子》

稱水之七善，亦猶古人稱玉有五德，或謂玉有六美，皆取仁、義、禮、智為言，亦比喻之辭耳。此處所舉七善，實承上句'上善若水'而續申之，乃言水之德美無疑，不必別為之說也。"張先生所說"蘇氏說"即蘇轍之言，蘇轍曰："避高趨下，未嘗有所逆，善地也；空虛靜默，深不可測，善淵也；利澤萬物，施而不求報，善仁也；圓必旋，方必折，塞必止，決必流，善信也；洗滌群穢，平準高下，善治也；遇物賦形，而不留於一，善能也；冬凝春冰，涸溢不失節，善時也。有善而不免於人非者，以其爭也。水唯不爭，故兼七善而無尤。"以"七善"喻聖人不爭之"德"，無為之"道"，形象地表述了老子"無為"思想。

九章

持而盈之，[1] 不如其已；[2] 揣而銳之，[3] 不可長保。

金玉滿堂，莫之能守；富貴而驕，自遺其咎。[4]

功遂身退，[5] 天之道也。[6]

注釋

1. 持而盈之：保持盈滿的狀態，指自滿自驕、自我膨脹。持，執持；盈，滿。“持盈”是古人成語，意謂積累而使之滿盈。
2. 已：停止。
3. 揣而銳之：鍛煉金屬器具，使之銳利，這裏喻人顯露鋒芒。揣，讀為“捶”，煅造、冶煉，《說文解字》手部曰：“揣，量也；一曰捶之。”“銳”字王弼本作“梲”，但是注文作“銳”，河上公以及其他古本作“銳”。
4. 自遺其咎：自取其禍。遺，這裏是招致的意思；咎，災禍。
5. 此句河上公本、傅奕本等作“功成、名遂、身退”。
6. 此句黃瑞雲《老子本原》作“天之道（載）”，並云：“‘載’字原屬下章。《楚辭・遠遊》‘載營魄而登霞兮’，王逸注：‘抱我靈魂而上升也。’是漢人讀《老子》‘載’字已屬下章。宋郭忠恕《佩觿》卷上‘《老子》上卷改載為哉’注：‘唐玄宗詔：朕欽承聖訓，覃思玄宗，頃改《道德經》載為哉，仍屬上文。’唐玄宗以‘載’屬上章，極為有見。然改‘載’為‘哉’則未為當。‘載’之為言在也，王弼注：‘載，猶處也。’義亦相通。二句謂功成身退，天道所在。”

串講

自滿自驕、自我膨脹，不如適時停止；鋒芒顯露，銳勢必然難保長久。

金玉滿堂，沒有人能夠守住；富貴驕淫，必然自取其禍。

功業完成之後，功成引退，收斂含藏，才符合自然的法則。

評析

本章重點在寫一個“盈”字。“盈”的意思是過度、自滿。持“盈”的結果是引來傾覆之患。老子告誡人們要“功遂身退”，然“功遂身退”與後世所謂“功成而身退”內涵並不相同。陳鼓應引王真語解釋說：“身退者，非謂必使其避位而去也，但欲其功成而不有之耳。”身退並不是引身而去，更不是隱匿行跡，而應該是斂藏、不發露。人類生存的實質本應該是一種自然的狀況，然而，名、利、財、勢等各種誘惑不斷湧現，不斷地激起人的貪慾。表面上看，持盈、揣銳、金玉、富貴都是人生奮鬥和追求的目標，但當所有人都把這些作為爭奪對象時，必然彼此交刃互傷，最終結果也必然是走向事物的對立面。因此，老子強調“功遂身退”。天道況且不與人爭，人道何獨能違逆？這一思想同二章中所謂“功成而弗居”、“夫唯弗居，是以不去”的主張完全一致。在往後諸多章節中，老子還從多種角度對這一思想作了多次申說和強調。如三十六章：“柔弱勝剛強”；四十章：“反者道之動，弱者道之用”；七十六章：“人之生也柔弱，其死也堅強；草木之生也柔脆，其死也枯槁。故堅強者死之徒，柔弱者生之徒。是以兵強則不勝，木強則兵。強大處下，柔弱處上。”“弱”的反面是“強”，“弱”可能轉化為“強”，所以，“弱者道之用”乃“反者道之動”的具體運用。老子“守雌”、“守柔”思想暗含了對立統一、矛盾雙方可能相互轉化的辯證法思想。

老子講經處

十章

載營魄抱一，[1]能無離乎？

專氣致柔，[2]能如嬰兒乎？[3]

滌除玄鑒，[4]能無疵乎？[5]

愛民治國，能無為乎？[6]

天門開闔，[7]能為雌乎？[8]

明白四達，[9]能無知乎？[10]

（生之畜之，生而不有，為而不恃，長而不宰，是謂玄德。[11]）

注釋

1. 載：發語詞，同於《詩經》"載笑載言"之"載"字，相當於"夫"。按：一說本句"載"字應屬上章末句，作"天之道載"，見九章注6。營魄抱一：精神貫注，專意於道。營魄：魂魄。抱一：即守道；"一"指"道"，與二十二章"是以聖人抱一以為天下式"、三十九章"古之得一者"之"一"同。
2. 專氣：集聚元氣使之不散，何上公注曰："專守精氣使不亂。"柔：在《老子》書中比喻水之柔弱和嬰兒之柔弱，非柔順、溫柔之義。
3. 此句王弼本缺"如"字，傅奕本和其他古本均有之。
4. 滌除：洗濯、清除。玄鑒：明鏡，這裏借喻幽深明澈的心靈，即指心靈明澈如鏡。玄，形容心靈深邃澄明。"玄鑒"通行本作"玄覽"，帛書乙本作"玄監"，"監"即古"鑒"字，古人以盆盛水作鏡子照面，稱為“監”；又高亨《老子正詁》云：“‘覽’讀為‘鑒’，‘覽’、‘鑒’古通用。”

5. 疵：疵病、毛病。

6. 此句“無為”王弼本作“無知”，河上公本同之，然景龍碑本、林希逸本、焦竑本並作“無為”，作“無為”較勝。

7. 天門：指人的耳目口鼻等感覺器官，相當於《荀子·天論篇》所說的“天管”；高亨《老子正詁》：“耳為聲之門，目為色之門，口為飲食言語之門，鼻為臭之門，而皆天所賦予，故謂之天門也。”開闔：啟閉、動靜。

8. 雌：指柔順安靜。“為雌”王弼本作“無雌”，河上公本同，傅奕本及其他古本皆作“為雌”，而王弼注云：“言天門開闔，能為雌乎？”可證王弼本原亦作“為雌”。作“為雌”符合老子柔弱守靜之旨，而“無雌”則與老子的思想相悖。

9. 達：通曉事理。

10. 此句王弼本作“能無為乎”，而河上公、《景龍碑》以及其他多種古本作“能無知乎”，作“無知”於意較勝。

11. “生之畜之”以下五句，又見於五十一章而文字略有不同，馬敘倫《老子校詁》認為自“生之畜之”以下，與上文義不相應，當係五十一章錯簡，其說可從。注釋見五十一章。

串講

精神和形體合一，能有不分離之時嗎？

集聚元氣使之不散，達到柔順的境界，能像嬰兒的狀態一樣嗎？

清除雜念，使心靈明澈如鏡，能沒有一點瑕疵嗎？

愛護民眾，治理國家，能夠順乎自然不加做作嗎？

感官和外物的接觸，能保持柔順安靜嗎？

通曉事理，明達四方，能不用心機嗎？

（生長萬物，養育萬物，而不據為己有，不自恃有恩，不自認為是萬物的主宰，這就是最深的“德”。）

評析

本章運用六個反詰句式教人以修身之道。高亨《老子正詁》將這六個反詰句概括為六種品格：“（一）保持自己的靈魂與‘大道’；（二）保持嬰兒的精純與柔弱；（三）清除內心中自私多慾的塵垢；（四）執行無為的政策；（五）養生處事要退讓而不爭；（六）多知而自以為無知。”“載營魄抱一”、“專氣致柔”、“滌除玄鑒”乃修身的具體方法。古人認為人的生命由“魂”和“魄”兩部分組成，“魂”和“魄”的結合正如“形”與“神”的結合，人之所以為人重在其“神”，“形”是“神”的載體。王逸注《楚辭·大招》云：“魂者，陽之精也；魄者，陰之形也。言人含陰陽之氣，失之則死，得之則生。”只有形神合一，即肉體與精神和諧才是健全的、理想的生活，正所謂“載營魄抱一，能無離乎？”心靈的修煉，老子以嬰兒為喻。平心靜氣，摒棄內心的各種雜念，是一件很不容易做到的事，但它對修身而言又至關重要。只有像嬰兒那樣心靈純潔，不受功利影響，才能達到“無所不可”、“無所不宜”之境界。

老子將這樣的品格稱之為“玄德”。同“道”一樣，“德”也是老子思想的重要內容。老子在這裏明確提出了“玄德”這一概念。奚侗《老子集解》云：“玄德，猶云至德。以其深遠，故云玄也。”王弼曰：“凡言玄德，皆有德而不知其主，出乎幽冥。”《莊子·天地》云：“其合緡緡，若愚若昏，是謂玄德，同乎大順。”“玄德”之內涵，老子其實在文中已作出了明確的界定，即“生之畜之，生而不有，為而不恃，長而不宰，是謂玄德”。《老子》五十一章云：“道生之，德畜之，物形之，勢成之，是以萬物莫不尊道而貴德。”王弼注曰“道生萬物”、“德蓄萬物”，“道”是大自然本身內在之必然性，能生萬物，“德”是“道”在現實社會生活中的顯現，能蓄萬物。“道”“德”之關係十分清楚。在二十一章老子還講到“孔德”，二十八章講到“恒德”，三十八章講到“上德”，綜合起來可以對老子有關“德”的觀念有一個整體的認識。

十一章

三十輻，[1] 共一轂，[2] 當其無，[3] 有車之用。

埏埴以為器，[4] 當其無，有器之用。

鑿戶牖以為室，[5] 當其無，有室之用。

故有之以為利，[6] 無之以為用。[7]

注釋

1. 輻：車輪的輻條。古時車輪有三十根輻條，以取法於一月三十天之數。
2. 共：同“拱”，環繞、支撐。轂：車輪中心有圓孔的圓木，四周插輻條，中間空的地方置車軸。
3. 其：指轂。無：指轂中間空的地方。畢沅《老子道德經考異》認為：此句應當以“當其無有”斷句，則為“當其無有，車之用”。下文類此，皆從“有”處斷句。如以此斷句，則“無”指車輪的空處，“有”指車輪的實體，言虛實相配合，車子方才得用。
4. 埏埴：用水和土為埏，埴為黏土；埏埴，本指以水和泥土，此處指和黏土製陶器。
5. 戶牖：門和窗。
6. 利：便利。
7. 用：作用。

串講

三十根輻條集中到一個轂上，由於輪子的虛空和實體的結合，才能起到車輪轉動的作用。

柔和黏土製作陶器，由於器皿的空虛和實體的結合，才能起到器皿盛物的作用。

開鑿門窗建造房屋，由於門窗四壁的空虛和實體的結合，才能起到房屋住人的作用。

所以，實體以一定形態為人們提供的便利，是由於形成了一定形式的空虛才會產生的。“有”之所以給人以便利，是因為“無”發揮了作用。

評析

在人們的慣性思維中，“有”和“無”是兩個完全對立、相反的概念。“有”因其功用和實存被一般人所注目，“無”似乎只代表着虛空。老子超越了固有的思維定勢，指出被忽視了的“無”的作用及“有”與“無”的關係：“有”借助“無”才能真正發揮功用。馬車的存在，我們稱之為“有”，可是真正能使馬車運轉起來的，卻是使車輻條匯聚在一起的中間空洞無物的轂。陶土製成的器具，正因為它是中空的，才能夠真正有用。房屋正因為內部是空的，四壁上又有着門窗這類的空缺，人們才能夠用它來居住。這三個淺易的例子，說出了“有”“無”之間的聯繫，即事物的存在意義不僅僅依賴於實體的“有”，“無”正是事物價值的關鍵，“有”離開“無”只是一個沒有意義的實體存在。

老子闡發的實體存在中“有”“無”之間的關係，首先在對事物的認知上為我們做出了範例。面對某種現象或事物，執着於眼睛所能看到的表面現象，專注於顯露在外的功用利益，使人對於事物的認知停滯在狹隘、膚淺的表層，阻礙了對事物全面、深層的認識。比如對於器皿的認識，只看到它的實體存在，就會流於表面，除了看到這隻器皿的功用和形態外，別無他物。只有思索它存在形態的成因及其價值實現的依傍，才能對事物有全面深入的瞭解。這是老子觀察事物的全面而辯證的方法。

其次，為我們認識到事物在對待性關係中的複雜聯繫提供了思維方法的借鑒。在老子所舉的三個例子中可以看到，這一章中所談的是實體存在意義上的"有""無"，在這種對待性關係中，只有透過事物之間相反的現象，看到它們之間不可割斷的聯繫和相互依存的事實，才能真正認識到事物對立統一的關係。"有"與"無"看起來是相對立的，有輻有轂相對於空無一物，但是"有"中卻必然要有"無"，轂中空則有車之用；但是"無"卻是要依存於本來的"有"，有轂而後才有中空之"無"。"有"與"無"相反相成，相互依存。因而，本章結尾概括說："有之以為利，無之以為用"，"有"給人以便利，而"無"使"有"真正發揮作用。這正是將看似對立的事物聯繫起來，發現兩者之間的關聯，而不是孤立靜止地看待事物。

老子論述"有"與"無"的哲學意義，在於以全面深入的思維揭示出被熟悉的日常表象所遮蔽的事物本質及其相互關係。

十二章

五色令人目盲，[1]五音令人耳聾，[2]五味令人口爽，[3]馳騁畋獵令人心發狂，[4]難得之貨令人行妨。[5]

是以聖人為腹不為目，[6]故去彼取此。[7]

注釋

1. 五色：指青、赤、黃、白、黑五種顏色。
2. 五音：指宮、商、角、徵、羽五個音階，這裏泛指音樂。
3. 五味：甜、酸、苦、辣、鹹，這裏代指美味。爽：傷敗，"口爽"即口味敗壞；《淮南子·精神訓》："五味亂口，使口爽敗。"
4. 馳騁畋獵：騎馬打獵。馳騁，騎馬縱橫奔走；畋獵，打獵。高亨《老子正詁》認為此句中"心發狂"之"發"字疑衍，"心狂"二字於意已足，且與"令人目盲"、"令人耳聾"等句法一律，增一"發"字，反而使上下句法不一。高說可從。
5. 行妨：行為不軌、品行敗壞，指偷盜搶劫。妨，害、傷。
6. 是以：因此。為腹不為目：只圖安飽而不求別的享受。句中舉"目"以概耳口心身，指代縱情聲色的生活。
7. 去彼取此：去彼，即指為目；取此，即指為腹。

串講

繽紛的色彩使人眼花繚亂，繁複的音樂使人聽覺不敏，鮮美的食物使人舌不知味，騎馬打獵使人心發狂，稀有難得的財貨使人行為不軌、品行敗壞。

因此，聖人只求安飽而不去追逐聲色之娛，摒棄物慾的誘惑而保持安足的生活。

評析

本章以人的生命為本位，指出物慾對於人生命的戕害。物質生活的豐富往往與生命的豐盈聯繫在一起，即便有人能夠清醒地認識到兩者之間並非簡單的等同，但物質帶來的切實可感的歡愉常常使人們無法理性地看到它對於生命的損傷。五色原為使人目愉，五音原為使人耳悅，五味原為使人口甘，畋獵原為使人心怡，珍寶原為使人生活得更美好。這些能夠帶給人感官享受的物質一向是人們追求嚮往的，老子卻看到了這些物質文明在帶來快感的同時，對人的感官帶來目盲、耳聾、口爽、心狂、行妨的傷害。物質享受看起來是人對自身生命的重視和滋養，實際上卻是對自然生命的背離。

道家崇尚自然，五色、五音等所代表的物質享樂正是人遠離自然文明進程中的產物，老子以自然生命本身作為看待事物的出發點，所以能夠清醒地看到物質給人帶來饜足的同時，對人自身的損傷。而為物慾所驅使的人們卻時時沉溺在物質所帶來的快感當中，感受到生命因此而呈現的豐富多彩的一面，自然不會認識到它對於生命的傷害。物質的豐富使人的生命不勝其累，感官的狂歡是以人最寶貴的自身生命作為代價的。老子主張人應該採取一種本能的生存方式，進而提出"為腹不為目"的理想範式。"為腹不為目"與三章所謂"常使民無知無慾"含義基本相同。蔣錫昌云："'腹'者，無知無慾，雖外有可慾之境而亦不能見。'目'者，可見外物，易受外境之誘惑而傷自然。故老子以'腹'代表一種簡單清靜，無知無慾之生活；以

‘目’代表一種巧偽多慾，其結果竟至‘目盲’、‘耳聾’、‘口爽’、‘發狂’、‘行妨’之生活。明乎此，則‘為腹’即為無慾之生活，‘不為目’即不為多慾之生活。”聖人但求安身飽腹而已，不追求身外的聲色之娛。持守生命的本真和內心的平和安樂，摒棄外在物質的浮華誘惑，面對生命與物慾有所取捨，明白去就，這是老子對於被物質蒙蔽了心性的人們的告誡。

二千多年前春秋時期的物質文明程度與今天相比差距甚大，在當時物質相對貧乏的情況下，老子就已經看到了物慾對於人自然生命及天性的傷害。在物質文明高度發達的今天，物慾對於人生命及心靈的扭曲和戕害更是隨處可見。文明是一柄雙刃劍，如何在生命的圓滿狀態和物質文明中間尋找到一種平衡，來安頓靈魂及肉身，老子這段關於物慾與生命的論述，對於現代社會中沉溺於物質狂歡中的人們不啻是一帖清醒劑。

十三章

寵辱若驚，[1]貴大患若身。[2]

何謂寵辱若驚？寵為上，[3]辱為下，[4]得之若驚，失之若驚，是謂寵辱若驚。

何謂貴大患若身？吾所謂有大患者，為吾有身；[5]及吾無身，吾有何患？

故貴以身為天下，[6]若可寄天下；[7]愛以身為天下，[8]若可託天下。

注釋

1. 寵辱若驚：得寵和受辱都像受到驚駭一樣。若，乃。後文八個"若"字，皆訓"乃"。
2. 貴：非常重視。身：精神與肉體的合一。高亨《老子正詁》云："此句義不可通。疑原作'大患有身'，'貴'字涉下文而衍。'有''若'篆文相近，且涉上句而訛。下文云：'吾所以有大患者，為吾有身，及吾無身，吾有何患？'正申明此意。"又，焦竑《老子翼》錄王純甫言："貴大患若身，當云：貴身若大患。倒而言之，文之奇也，古語多類如此者。"
3. 寵為上：以得寵為尊上。
4. 辱為下：以受辱為卑下。"寵為上，辱為下"二句，王弼本作"寵為下"，河上公本作"辱為下"，《景福碑》、陳景元本、李道純本作"寵為上，辱為下"，王本、河上本疑均有奪誤。
5. 為：因，由於。有身：即有我。
6. 此句的意思是說要以貴身的態度為天下，言下之意是所貴非

"身"，而是"天下"。

7. 若：乃，才。寄：託付。

8. 此句意為要以愛身的態度為天下。

串講

得寵和受辱都會感到驚愕，重視身體就好像重視大患一樣。

什麼叫寵辱若驚呢？以得寵為尊上，以受辱為卑下。得到這些就感到驚喜，失去這些就感到驚懼，這就叫做寵辱若驚。

什麼叫做重視身體就好像重視大患一樣呢？我之所以有禍患，是因為我有此身體，如果沒有這個身體，還能有什麼禍患？

所以，只有以"貴身"的態度去對待天下，才可以將天下寄託給他，以"愛身"的態度去為天下，才可以將天下委託給他。

評析

老子思想中非常重要的一個方面是"貴身"，也就是對於生命本身的重視。這在第十二章中已經從物慾與生命的關係方面，闡述了生命本身相比於物慾的重要。這一章中，則着眼於在社會生活中，人如何不為外物所傷害，以自身的生命為重，養護身體及精神。在社會生活中，人被各種錯綜複雜的社會關係所限定。人與人相處之間所產生的寵辱，在平常人的體會中，前者給人帶來榮耀和快樂，後者往往意味着無盡的煩惱和困惑。而在老子眼中，無論寵辱榮恥，全都是對於自然生命的摧殘。

寵辱看起來似乎是完全相反，但對於個人生命而言卻並無不同。得寵的人在快樂的同時，擔心着失寵的命運會降臨到自己的頭上，因而不免患得患失；處於恥辱當中的人不免傷心、痛苦、憤恨，受着擺脫恥辱、嚮往寵倖的煎熬。這種種失衡的心態，必然對人的身心造成極大的傷害，對於自然生命的損傷也是不言而喻。此外，無論寵辱，對於個人來說都意味着個體獨立人格的喪失。當外在的他者成為人的存在狀態的決定物時，人的獨立性和完整性即被消解殆盡。一個人只有在他的身心不為任何外物所負累、所牽絆時，他的價值也只有在不以外在的物質而以自身的狀態為衡量標準時，才真正獲得了自身的價值和自由，生命才處於極為圓滿的狀態中。這也就是為什麼老子視寵辱為無區別，把它們視為對人自然生命的戕害的原因。後世文人常以"寵辱不驚"、"寵辱皆忘"作為一種理想的境界，正源自於對老子所描繪的獨立而充實的生命狀態的嚮往。

人們常常會把身體以外的東西看得格外重要，而對於最可寶貴的生命卻常常忽視。因而老子勸誡人們，要以平常對待"大患"的心態來對待生命。為了躲避禍患，人們常常殫精竭慮、無所不為，其重視程度無可比擬。如果用這種心態來對待生命，那麼生命自然也就會保全。生命是人在世上存在的根本，如果沒有生命，人們所重視的一切，所為之忙碌的一切，包括禍患，便灰飛煙滅，蕩然無存了。因而，不重視生命，反而注重外在的榮辱福禍，無異於捨本逐末。

以此推而論之，如果能真正貴重一己之身，珍愛一己之命，必然能貴重他人之身，珍愛他人之命，也必然貴重天下，珍愛天下，這樣的人是值得信任、可以託付天下的人。只有以愛身的態度來治理天下的人，也才可以把天下託付給他。以天下為根本，為最重，則必然保全天下，養護天下，使天下安定平和。將治天下之道與養生、貴身之道相喻相通，老子學說確乎是本之自然、貴乎養生。

元趙孟頫繪老子像

十四章

視之不見名曰夷，[1] 聽之不聞名曰希，[2] 搏之不得名曰微。[3] 此三者不可致詰，[4] 故混而為一。

其上不皦，[5] 其下不昧，[6] 繩繩不可名，[7] 復歸於無物。[8] 是謂無狀之狀，無象之象，[9] 是謂惚恍。[10] 迎之不見其首，隨之不見其後。

執古之道，[11] 御今之有。[12] 能知古始，[13] 是謂道紀。[14]

注釋

1. 夷：無色曰"夷"。
2. 希：無聲曰"希"。
3. 搏：擊，排，抓取。微：無形曰"微"。
4. 致詰：追究，推問。
5. 皦：光明。
6. 昧：昏暗。
7. 繩繩：無際涯之貌，形容道體的深遠幽微。
8. 復歸：即還原。此句言道千變萬化，而終歸於無。
9. 此句王弼本作"無物之象"，蘇轍《老子解》、林希逸《老子口義》作"無象之象"。
10. 惚恍：若有若無、不可辨認的樣子。
11. 執：把握。古之道：古來就存在的"道"。
12. 御：控制、主宰。有：萬有，指一切具體事物。由於對"執"、"御"理解的差異，全句的解釋亦歧說叢見。朱謙之《老子校釋》認為"則是言古而有驗於今"，高明《帛書老子校注》以為本句是

"託古御今"之意。

13. 古始：古始之"道"，亦可解為"道"之端始、宇宙之原始。

14. 道紀：指"道"之綱紀，即"道"的規律。

串講

看它而看不見叫做"夷"，聽它而聽不到叫做"希"，摸它而摸不着叫做"微"。這三者的形象無從推問，它是渾然一體的。

這個渾然一體的"一"，它的上面並不顯得光亮，下面也並不顯得陰暗，它綿綿不絕、深遠幽微而不可名狀，千變萬化終歸會還原到無形無象的狀態。這就叫做沒有形狀的形狀，沒有形象的形象，它若有若無、不可辨認。面對它，看不見它的前頭，跟隨它，看不見它的後面。

把握着自古就有的"道"，來駕馭現在的一切具體事物。能知道古始之道，瞭解宇宙之原始，就叫"道"的規律。

評析

《老子》一章指出了"道"的不可言說及不可名狀，本章繼續闡釋"道"的特性及其重要性。人們在瞭解事物時習慣於求諸客觀世界及本身的經驗，而"道"卻是以特殊方式存在的，與現實世界中的其他任何事物都不相同。本章開頭指出："視之不見名曰夷，聽之不聞名曰希，搏之不得名曰微"。在人的感觀世界裏，它渺渺茫茫，無以名狀，不可探究。老子卻從哲學的角度作理性思考，在感觀世界的探究中把握了"道"形而上的存在特性。

“道”不存在於人經驗世界中。因而，當談到“道”體時，老子指出了“道”對於人感官的超越性，眼睛無法看到它，耳朵無法聽到它，觸覺無法感知它。“道”超出人的經驗，幽隱無形，並非形而下的實體存在。無形、無聲、無質料的特性是“道”的三個屬性，亦即“道”形而上的特徵，因而老子把這三者稱為“不可致詰”，表示三者是如此的不可追問，不可思辨。又因為三者是感性存在普遍的特性，故“混而為一”，形成了“道”超越於人們感官所特有的性質。這與《老子》四十一章中論述“道”的特性時所說的“大音希聲，大象無形”是相通的。世間萬物有形有聲，它們都來源於“道”，而“道”本身卻無聲無形，即所謂“天下萬物生於有，有生於無”。這裏的“無”即是“道”的特指。萬物生於“道”，而“道”因其“無”，無形、無聲、無質，才具有無限性，才能使“有”生於其中且千差萬別。這也就是為什麼老子在接下來的語句當中強調“復歸於無物”，即向萬物的本原中去尋求事物的發展規律。

形而上的“道”不可名狀，所謂“無狀之狀，無象之象”，但要注意，這並不是否定“道”的真實存在。老子在強調其“無狀”、“無象”之餘，更進一步指出它是可以把握的。把握了無形的“道”，在面對世間形態、聲色紛呈的萬物時就可以輕鬆駕馭，不再迷惑於心智，為物所役。

十五章

古之善為道者，[1] 微妙玄通，[2] 深不可識。夫唯不可識，故強為之容：[3]

豫兮若冬涉川，[4]猶兮若畏四鄰，[5]儼兮其若客，[6]渙兮若冰之將釋，[7]敦兮其若樸，[8]曠兮其若谷，[9]混兮其若濁，[10]（澹兮其若海，飂兮若無止。[11]）

孰能濁以靜之徐清？[12] 孰能安以動之徐生？

保此道者不欲盈。[13] 夫唯不盈，故能蔽而新成。[14]

注釋

1. 此句“善為道者”，王弼本作“善為士者”，《後漢書．黨錮傳》引作“道”，傅奕本、帛書甲、乙本“士”亦作“道”，據改。
2. 微妙玄通：深微精妙，幽遠通達。
3. 強：勉強。容：形容、描述。
4. 豫兮：遲疑貌，引申為謹慎戒懼的意思。若冬涉川：如冬天過冰河一樣，形容小心翼翼，不敢妄進。
5. 猶兮：與“豫兮”同義。“猶”字，帛書乙本作“猷”。
6. 儼兮：儼，敬；“儼兮”，猶“儼然”，形容端莊謹嚴。“客”字王弼本作“容”，形近而誤，帛書本、河上公本、傅奕本、景龍碑本俱作“客”，據改。
7. 渙：流散的樣子。釋：解，消失。此句帛書本“渙兮其若淩澤”，傅奕本作“渙若冰將釋”，而通行本作“渙兮若冰之將釋”。
8. 敦兮：誠厚樸實的樣子。樸：同“璞”，未經雕琢之玉石；或解作未成器的素木，亦通。

9. 曠：虛空。此句為虛懷若谷之意。

10. 混兮：混沌不清的樣子；混通“渾”。濁：濁水，此處指渾噩愚昧。

11. “澹兮其若海”二句，原是二十章的文字，陳鼓應《老子注譯及評介》引嚴靈峰說，認為按照上下文義和句例，應屬此章文字，今從之。澹：形容恬靜、淡薄。飂：大風飛揚，形容形跡飄逸。

12. 此句連同下句各種版本文字多有不同，今從吳澄本。以：而。靜：使之靜，形容詞活用為動詞；下句“動”字用法同此。

13. 此道：指上兩句所言“濁之徐清”、“動之徐生”之道。盈：滿；“不欲盈”，不自滿。

14. 蔽而新成：除舊更新之意，即二十二章所言“敝則新”。

串講

古代善於行“道”的人，深微精妙，幽遠通達，深刻得非一般人所能理解。正因為難以認知，所以才勉強對它進行描述：

小心謹慎啊，像冬天涉水過河；警覺戒懼啊，像提防四周的圍攻；容貌端莊謹嚴啊，像筵席中的賓客；鬆脆流散啊，像冰柱快要消融；誠厚樸實啊，像未經雕鑿的素材；空曠開廣啊，像深山的幽谷；渾樸純厚啊，像渾濁的泥水；沉靜恬淡啊，像深深的大海；飄逸無形啊，像沒有止境。

誰能在這渾濁的環境裏鎮靜下來，使它們慢慢澄清？誰能在這安定的環境裏變動起來，使他們慢慢地生長？

保持這個“道”的人，不會自滿。正因為他們不自滿，所以才能除舊更新，前進不已。

評析

《老子》是一部有體系的哲學著作，闡釋“道”的最終目的是為了讓人們在瞭解何為“道”之後，進一步體道。因而承續十四章論述“道”的特性之後，本章主要通過對體道之士的描寫，反映出體道者特有的氣質和精神面貌，同時也寄託了老子的政治理想。

“道”本身深奧玄妙，體道之士也一樣“微妙玄通，深不可識”。對於“道”，老子能夠以人們的感官經驗來加以描繪，深入淺出，以期對形而上的“道”有所感受，對於深不可識的體道之士，老子也同樣以淺易的生活和自然現象加以描寫。這一章中以七個比喻來形容體道之士：冰釋、山谷、濁水、原木都是自然界的事物和現象，冬涉川、畏四鄰、做客則以社會生活中的常見現象作比，這些人們最為常見的自然、社會現象形象地表現出體道之士審謹、慎重、端嚴、平和、敦厚、空曠、渾樸兼有的精神特徵。體道之士獨有的精神面貌中蘊含着老子獨特的審美追求，即：凝靜敦樸、渾融守柔的理想人格。這種人格類型雖然不如“道”本身那樣撲朔迷離，而是與現實生活聯繫緊密，具有可感性，但仍舊只是一種難以確定的狀態而已，只能使人有大致的感受把握。

體道之士的精神狀態如此難以確切地形容和把握，已與凡俗之人大相徑庭，但更為重要的內在特質是：體道之士能夠以自身對“道”的體悟來面對紛紜複雜的事物，有自己的一定之規，始終不為外物左右，把持自我的內心並能夠以此來適應外界。即所謂“孰能濁以靜之徐清，孰能安以動之徐生”，是能靜能動的理想預期者。體道者以靜對待紛紜動盪的外在世界，最終使之逐漸歸於平靜清明。不僅如此，體道者並不固守於靜或只能以靜對待外部世界，而且也能夠在靜中緩慢地轉換為具有創造力的新生狀態。

正因為體道之士不持守於一端、永遠處於動態轉換當中，才使他不會處於“盈”的狀態，保證了自我的創造力和生命力。“盈”即“滿”，滿溢、過度是一種由頂峰狀態趨於衰退的分水嶺，因而，《老子》第九章說：“持而盈之，不如其已”。體道之士的這種特性使他能夠革故鼎新，永遠處於一種常新的狀態中。

十六章

致虛極，[1]守靜篤。[2]萬物並作，[3]吾以觀復。[4]

夫物芸芸，[5]各復歸其根。[6]歸根曰靜，是謂復命。[7]復命曰常，[8]知常曰明。[9]不知常，妄作凶。[10]知常容，[11]容乃公，[12]公乃全，[13]全乃天，[14]天乃道，道乃久，沒身不殆。[15]

注釋

1. 致虛：消除心智的干擾，以使內心空明無慮。致，推致。極：極度、頂點。
2. 守靜：去除慾念的煩擾，以使內心安寧靜默。篤：厚、深。
3. 作：生長、變化。
4. 以：猶"能"。觀復：返，往返循環。
5. 芸芸：繁盛眾多之貌。
6. 根：本根、本原，具體指"虛"、"靜"，亦即"道"，在道家看來其為宇宙的本根、本原。
7. 復命：歸復本性。命，即性，《禮記·中庸》："天命之謂性。"
8. 常：常道，即事物運動變化中不變的永恒規律。
9. 明：明哲，即指能通徹地認識瞭解事物運動變化的規律法則。
10. 凶：災禍。
11. 容：包容、寬容。
12. 公：公正、公平。
13. 全：周全、周遍。王弼本"全"作"王"，而注曰："無所不周遍。"勞健《老子古本考》謂"王"字乃"全"字之訛。

14. 天：指自然。

15. 沒身：終身至死；沒，通“歿”。殆：危險。

串講

達到心靈虛寂的極點，保持清靜的最高度。萬物蓬勃生長，我從中觀察它們的循環往復。

萬物繁眾多盛，最後都各自回復到自身的本原。回復到自身的本原就叫“靜”，“靜”即是歸復本性。歸復本性就叫“常”，即事物運動變化中不變的永恒規律，認識這種永恒的規律就能通徹地認識瞭解事物運動變化規律的法則。不懂得這些規律就會招致災禍。認識規律的人，就能包容一切，就能大公無私。只有大公無私，才能圓通周遍；只有圓通周遍，才能合於自然；只有合於自然，才能合於“道”；只有合於“道”，才能持久，才能終身免於危難。

評析

本章提出了道家的兩條修養途徑：“致虛”和“守靜”。“虛”和“靜”是道家對人心態的形容，是指打消一切慾望、雜念，使外在世界的紛擾無法干擾到人的內心，從而使心境清澈空明，無成見也無心機。之所以要強調將“致虛”和“守靜”的功夫做到極致，是因為只有徹底擺脫心靈的蒙蔽，才能夠清晰明確地認知事物的本質。正是因為擺脫了一切蒙蔽和外在干擾，所以面對數以萬計、紛紜複雜的事物，老子能夠明確地認識到事物一個重要本質：往復循環。並由此進一步提出了一個重要的概念：復命。

舊事物的消失和新生事物的出現似乎是事物本身在不斷地

變化，但實際上是事物的往復循環。這種循環論把事物的本原視為事物的終點和起點，這一本原實質上正是指生成養育萬物的“道”。萬物最終復歸於“道”，這一運動過程在本章中被形象地定義為“歸根”、“復命”。“歸根曰靜，是謂復命”。這並不是一個重複命名，老子在這裏試圖以不同的概念將“道”作為事物本原的特性交待清楚。“根”乃事物的生育之本，亦即“道”；“靜”是事物復歸於根的狀態；“復命”描繪返回事物初始“靜”的狀態。“復命”意味着向本原的回歸，人的內心及萬物由紛紜騷動最終趨向於靜，“靜”正是歸於“道”的狀態。“守靜”的意義在此也就不言自明，即回歸“大道”。

瞭解萬物運動變化的規律會使人們更加清明通透，這也就是本章所謂“知常”。如果對於萬物復歸於“道”的規則不瞭解，為機心和私慾所左右，人們就會自以為是地出現不符合事物發展趨勢的行為，最終破壞事物運行的規律，危害到自身。而當人們瞭解到萬物復命的道理，世間萬物包括人自身不過是“道”的產物，最終也將致於虛，歸於靜，則會曠達寬厚，面對事物也自然會採取順其自然、任其發展的做法。這看似消極的行為背後，實質上卻隱含着尊重客觀規律，順應自然法則的精神。體道之士也因而成就其胸襟，無所不容，虛懷若谷，坦蕩無私。這種氣度既符合於天地自然，也合於“道”本身的虛、靜之態。

本章實質上都是圍繞着虛、靜這兩個概念展開的。開頭所提到的“致虛”、“守靜”正是體道之士能夠體認“道”、依“道”而行的前提條件；中間部分解釋持守虛、靜的原因：如此才能認識到事物最終都將歸根、復命的自然規律；最後一部分則闡述體悟虛、靜對於人們的益處：合於自然，周行不殆。

十七章

太上，[1]不知有之；[2]其次，親而譽之，[3]其次，畏之；其次，侮之。[4]信不足焉，[5]有不信焉。[6]

悠兮其貴言，[7]功成事遂，百姓皆謂“我自然”。[8]

注釋

1. 太上：最上、至上。
2. 不知有之：指百姓不知有君主存在；之，指君主。“不”字王弼本原作“下”，吳澄本、《永樂大典》本、傅奕本等皆作“不”，作“不”字義較勝。
3. 親而譽之：親近而讚譽之。
4. 侮：蔑侮。
5. 信：誠信。
6. 不信：不信賴。
7. 悠兮：悠閒貌。貴言：珍視言論，不輕易發號施令，意同二十三章的“希言”。
8. 自然：自己如此，本來就是如此。然，如此。

串講

最好的統治者，人民根本感覺不到他的存在；其次一等的統治者，人民親近他、讚美他；再次一等的統治者，人民畏懼他；更次一等的統治者，人民蔑侮他。統治者的誠信不足，人民自然會對他不信任。

最好的統治者總是悠然而“貴言”，從不輕易發號施令。

事業完成、功勳建立之後，百姓們都說："我們本來就是如此。"

評析

這一章集中闡述了老子理想中的政治形態。

在以經世為鵠的的儒家看來，最理想的政治模式是聖明君主以仁德治天下，使百姓得以安居樂業，即如堯、舜一類為人稱頌的君王，《論語·泰伯》云："唯天為大，唯堯則之，蕩蕩乎，民無能名焉。巍巍乎其有成功也，煥乎其有文章！"這種政治理想不可謂不高遠，但是在老子看來，被人民所擁戴的君王仁政，本身已經是有所缺憾的，雖有可取之處，但仍次於最理想的政治情境。老子心目中最為理想的政治情境是"不知有之"，老百姓根本感覺不到君王的存在，似乎一切都出於自然，沒有拘縛之感。這是從人民的感受來說的，實際上老子正是通過百姓的感受推崇政治上的"無為"，要求統治者給予人民最大的自由和安寧。這也正是其哲學思想"無為"向政治領域的延伸。

而上文所述儒家推崇的理想政治在老子看來，雖然聖主能使人民"親而譽之"，其政治統治清明而利民，但其政治權力仍然對人民的生活形成了干擾，使百姓感覺到權力及統治者的存在。這本身仍舊是對人民自然生活狀態的一種破壞。民"畏之"、"侮之"的君王因民的不親附而以王權對人民橫加干涉，本身無誠信、威望，就更進一步加深了人民對他們的不信服。老子對待政治問題從民本立場出發，認為政治問題出現的根本原因在於統治者自身的誠信不足，而誠信缺失的原因恰恰在於權力宰制對人民所造成的負累。這一認識既以人民為主體，又否定了王權不可質疑的合理性，是原始民主政治思想的遺留，文明社會民主政治思想的閃現。

老子在描繪“不知有之”的理想政治情境之餘，對於這一理想圖景的踐履途徑也有提及：“悠兮其貴言”。統治者拱手而治，沒有繁瑣的規章制度、法律條文，君主也不必發號施令，人民在安閒自適的狀態下生活，自然功成事遂，天下大治。這一提議並不只是老子空中樓閣式的幻想，而是有着一定的現實基礎和實際意義。聯繫歷史上由秦至漢的歷史，或許可以對老子的這一思想有更具體的理解。秦代以嚴酷刑法著稱，人們先是畏懼，以致路人相逢都提心吊膽，最後揭竿而起，推翻了秦的統治，正是對暴政的“侮之”。漢代統治者吸取秦滅亡的教訓，在漢初採取“休養生息”的政策，以黃老之術治國，“貴清靜而民自定”，取得了明顯的成效。可見，老子清靜無為思想對社會政治的現實意義。

十八章

大道廢，有仁義；智慧出，[1] 有大偽；六親不和，[2] 有孝慈；國家昏亂，有忠臣。[3]

注釋

1. 智慧：智巧。

2. 六親：指父、子、兄、弟、夫、婦。

3. “忠臣”，帛書本、傅奕本作“貞臣”。

串講

大“道”廢棄了，才會提倡仁義；智巧出現了，才會產生偽詐；父、子、兄、弟、夫、婦之間出現不和的家庭矛盾，才會顯現出慈孝；國家政治昏亂了，才能見出忠臣。

評析

道家思想對於世俗價值觀往往有着不同凡俗的見解，其觀察的角度有時能夠引發我們對固有觀念的思考，從而對於一些熟視無睹的概念或現象具有更為深刻的認識。本章老子對一些慣常的事物現象做了完全不同於以往的解釋。

仁義、智慧、孝慈、忠恕這些儒家思想中的核心概念在老子看來，正是時世不再清明、社會狀況混亂的產物。正因為有了殘暴，所以仁義才開始被倡導，否則人們將不知何為仁義，其存在也就沒有任何意義。智慧看起來是人類的發展和進步，但正是它為偽詐的出現提供了可能。同理，孝慈、忠臣的出現也正是因為出現了不孝不慈、國家混亂。老子、孔子生活的東周王朝，中央政權衰落、諸侯國崛起，社會一片混亂，傳統道德也處於滑坡當中。雖然儒家極力以仁、義、禮、智、信這些思想主張來維繫傳統社會道德，並對這類觀點大加宣揚，但在老子看來，不過是對當時社會病態現象所開的無濟於事的藥方，不但不能挽救這個病入膏肓的社會，而且恰恰是社會病態的一種暴露。

除了現實的社會境況外，老子的這一推理確乎有其邏輯上

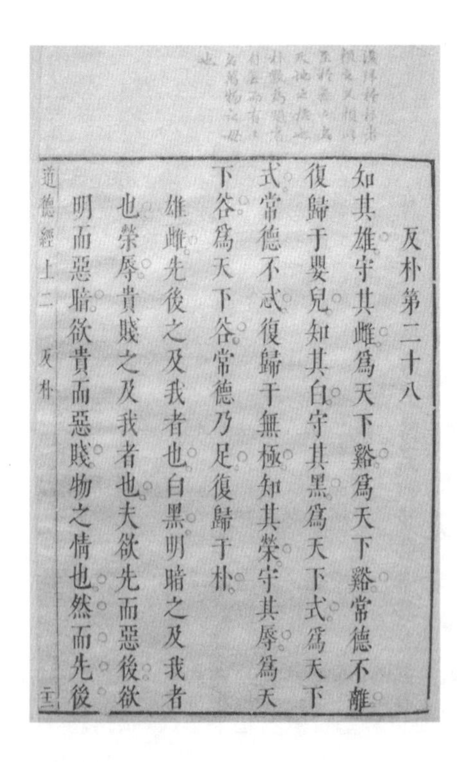

反朴第二十八

知其雄守其雌爲天下谿爲天下谿常德不離復歸于嬰兒知其白守其黑爲天下式爲天下式常德不忒復歸于無極知其榮守其辱爲天下谷爲天下谷常德乃足復歸于朴

雄雌先後之及我者也白黑明晴之及我者也榮辱貴賤之及我者也夫欲先而惡後欲明而惡晴欲貴而惡賤物之情也然而先後

道德經上二 反朴 二十三

宋蘇轍注《道德經》

的合理性。在《莊子・達生》中，我們能夠看到對老子這一邏輯思維方式的具體解釋和例證："忘足，履之適也；忘要，帶之適也；知忘是非，心之適也；不內變，不外從，事會之適也。始乎適而未嘗不適者，忘適之適也。"某一事物如果處於一種自然、適當的情境，人們便不會感受到它的存在及其重要，如果某種事物的重要性被人們所意識到，正說明它本身出現了不足甚至危機。相同的思維方式有時會導致相同的思想觀點。在《莊子・馬蹄》中，以更為強烈的口吻表達了對儒家所提倡的仁義、禮樂的批判和嘲諷："故純樸不殘，孰為犧尊！白玉不毀，孰為珪璋！道德不廢，安取仁義！性情不離，安用禮樂！五色不亂，孰為文采！五聲不亂，孰應六律！夫殘樸以為器，工匠之罪也；毀道德以行仁義，聖人之過也。"莊子更為明確地將批判的矛頭指向了儒家，指出儒家所謂的仁義正是建立在殘害道德的基礎上，理想的狀態應是純任自然，使人們生活在原始樸素的狀態中，根本不知仁義禮樂為何物。

道家對於儒家理念的批判，正是出於對社會現實的不滿和對原始樸素狀態的嚮往，但實質上儒家的這些理念也是針對當時社會現實所提出的主張。在老子看來，儒家的這些主張正是某些不良現象產生的根源，以此來拯救道德，如同抱薪救火，只能使之每況愈下。

十九章

絕聖棄智，[1]民利百倍；絕仁棄義，民復孝慈；絕巧棄利，[2]盜賊無有。

此三者，[3]以為文不足，[4]故令有所屬：[5]見素抱樸，[6]少私寡欲，絕學無憂。[7]

注釋

1. 絕聖棄智：拋棄聰明智巧。聖，指聰睿。
2. 巧：指機巧。利：指財貨。
3. 此三者：指聖智、仁義、巧利。
4. 文：文飾，與下文的"素"、"樸"相對。
5. 屬：歸依，適從。
6. 見素抱樸：外表顯現純真，內心保持質樸。見，同於"現"；素，未染之絲；樸，未經雕琢之木。素、樸，均引申為純真之意。
7. 絕學：棄絕聖智仁義之學。此句通行本屬下章開頭，蔣錫昌《老子校詁》、高亨《老子正詁》認為應屬本章，從之。

串講

拋棄聰明與智巧，人民會得到百倍的益處；拋棄仁和義，人民將回到孝慈的本性；拋棄機巧和財貨，盜賊就自然會滅絕。

這三個方面，僅僅把它當作一種修飾自身的原則是遠遠不夠的，要將其落實到人民的具體行動之中，使得人人歸依、適從和遵守：那就是要外表顯現純真，內心保持質樸，減少私慾，棄絕聖智仁義之學，才能免除憂患。

評析

面對“禮崩樂壞”的社會現實，儒家倡導仁義、禮樂、智信，希望拯救道德的衰敗。在老子的眼中，儒家的這些主張非但無補於道德的重修，本身便是對道德的戕害。如果只是單純否定儒家的觀點，而沒有給出自己的主張，提出相應的措施，則不免有逞辯之嫌。老子一向反對辯論，在上一章中對儒家的批判，正是為了先破後立，在否定儒家的同時指出問題的根源所在。本章老子承上章所論，指出仁義、智慧、孝慈、忠恕這些觀念之所以產生的現實情境之後，進一步提出了對這一問題的獨特見解。

在老子看來，統治者放棄了為統治人民而使用的一切聰明機巧，才有可能趨於無為而治，使人民順應自然，得到百倍的好處。種種看似機智、英明的倡導，實質上是一些繁冗的要求，往往使百姓失去了自然本性。比如，慈、孝本來就是人的天性，父母自然疼愛子女，嬰兒生而知愛父母，這是再自然不過的事情，但因為統治者大力提倡“仁義”，使人們開始注重起外在的名聲，捨本而逐末，對父母的孝行不再出於本性自然，而是作為追名逐利的手段。正如《莊子·盜跖》中對孔子的批判：“使天下學士不返其本，妄作孝弟而僥倖於封侯富貴者也。”仁義的提倡看似會使人們更注重倫理親情，但實際卻成為對真正的、出於本性的孝慈的閹割。再比如，社會風氣一旦對智慧、利益看重，就會使人投機取巧，並對物質產生無盡的慾望，這兩者正是盜賊產生的根源。如果沒有利益的驅動、機巧的存在，盜賊自然就消失了。用一句話來概括老子的本意：只有純任自然、棄智絕利，才能夠使人們雖不談仁義，而真正的大仁大義自存。

對儒家觀點及社會現實的反思使老子提出了自己的獨特主張：治理天下用不着“聖智”、“仁義”、“巧利”，而應使人民回到自然本真的狀態，素樸無慾、絕學無憂。這固然只是老子所倡導的烏托邦式景觀，在歷史發展進程中，其可踐履性微乎其微。在盛行虛飾偽裝的社會，眾人以各種學說和理論為大纛，在其掩蓋下汲汲於名利、慾望，其程度已經無以復加，而老子的這番言論，正可謂矯枉不懼過正，是他對病態社會的激憤之辭。

二十章

唯之與阿，[1]相去幾何？美之與惡，[2]相去若何？[3]人之所畏，不可不畏。[4]

荒兮其未央哉！[5]眾人熙熙，[6]如享太牢，[7]如春登台。[8]我獨泊兮其未兆，[9]沌沌兮如嬰兒之未孩，[10]儽儽兮若無所歸。[11]

眾人皆有餘，[12]而我獨若遺。[13]我愚人之心也哉！

俗人昭昭，[14]我獨昏昏；[15]俗人察察，[16]我獨悶悶。[17]

（澹兮其若海，飂兮若無止。[18]）

眾人皆有以，[19]而我獨頑且鄙。[20]我獨異於人，而貴食母。[21]

注釋

1. 唯：恭敬的應聲。阿：怠慢的應聲；一說“阿”為“訶”之借字，呵斥之聲。
2. 此句“美”字，王弼本以及其他通行本作“善”，傅奕本、帛書甲本作“美”。二章曰：“天下皆知美之為美，斯惡已”，美惡相對；王弼注亦云：“唯阿美惡，相去何若。”故應作“美”。
3. 傅奕本、帛書甲本作“相去何若”，而王弼注亦云：“唯阿美惡，相去何若。”又“惡”與“若”叶韻，故似應作“何若”為是。
4. “人之所畏，不可不畏”帛書本作“人之所畏，亦不可以不畏人。”這兩句的意思是：別人所畏懼的，自己也不可不畏懼，亦即“和光同塵”之意。高亨認為與上下文不相關聯，應自成一章。

5. 荒兮：廣漠貌。未央：未有窮盡之意。

6. 熙熙：興高采烈的樣子。

7. 享：享用。太牢：指牛、羊、豕三牲；將牛、羊、豕圈養在牢裏，備作祭祀時使用，故稱它們為“牢”。這裏泛指盛筵美饌。

8. 如春登台：好像春天裏登台遠眺賞玩。有些版本作“如登春台”。

9. 泊兮：淡然、恬靜貌。未兆：沒有絲毫跡象，意為心胸廓然，無情無慾；兆，徵兆、跡象。

10. 沌沌兮：渾然無知的樣子。未孩：指嬰兒初生，尚不能笑；孩，通“咳”，嬰兒的笑。“沌沌兮”三字原在“我愚人之心也哉”句後，馬敘倫《老子校詁》認為：“此三字當在‘如嬰兒之未孩’上，所以形容嬰兒渾沌未分，不知咳笑，與‘儽儽兮’對文。”依馬說移此。

11. 儽儽兮：疲憊貌，此處作閒散解。若無所歸：心無所宅，毫無目的。

12. 有餘：指心有慾念而導致自滿自驕，非指財貨有餘。

13. 遺：不足。遺，“匱”的借字。“若遺”與上句“有餘”相對，言謙下退藏。

14. 昭昭：光明貌，這裏謂巧智現於外，與下句“昏昏”相對。

15. 昏昏：昏暗貌。

16. 察察：精明的樣子。

17. 悶悶：含渾淳樸的樣子。

18. 此二句應為十五章文字，因錯簡而竄入此章，見十五章注[11]。

19. 以：用。有以，有用，含自信之意。一說解作“能”，或“有為”，亦通。

20. 頑且鄙：愚鈍，笨拙。頑，愚鈍；鄙，鄙陋。

21. 貴食母：以守道為貴。食母，本義指乳母，《禮記・內則》：“大夫之子有食母。”注曰：“食母，乳母也。”這裏指道。食，養育的意思；母，本，指道。

串講

應諾與呵斥，相差有多遠？美好與醜惡，相差在哪裏？別人所害怕的，不可不怕。

這些道理真是廣闊得沒有邊際呀！眾人興高采烈、歡歡喜喜，好像去參加盛大的宴會，去享用盛筵美饌，又好像是春天裏登台遠眺賞玩。而我獨自一人淡泊悠然，從不炫耀自己，渾渾沌沌啊，就好像是渾然無知的嬰兒。閒閒散散啊，心無所宅，毫無目的，就好像是無家可歸。

眾人都慾念有餘，唯獨我好像不足的樣子。我真是愚人的心腸呀！

大家都很精明，我卻這麼糊塗；大家都很靈巧，我卻這麼懵懂。

（空蕩啊，好像漫無邊際的海洋；飄忽啊，好像無處可以棲息。）

世人都好像有所作為，而我卻愚鈍笨拙，毫無所能。我偏不同於別人，是因為我重視得到"道"的生活。

評析

本章文句頗多竄亂，給理解帶來困難。老子在文中以較長的篇幅、對比的方式描繪了體"道"之士與凡俗之人的差別。

首先，體"道"之士是超然物外的，在他眼中，世俗的價值觀念沒有重要的意義，他人的尊重與呵斥、美醜的評價都不必放在心上，因為這些都是沒有恒定標準的，所以也就沒有多大的差別。在世俗觀念中地位的尊貴、別人的讚美都是可取的，但體"道"之士卻對此超然處之，不為心動，不以他人的呵責、惡評為意。

其次，體道之士貴柔、守弱，其精神境界迥異於凡俗之眾。老子運用了五個鮮明的對比，來描繪體道之士與眾人迥異的精神狀態及氣質。凡俗之人所持有的精神狀態往往是興高采烈，如同享用美食、觀賞美景一樣，在享樂中流連忘返；而體道之士卻恬靜渾厚，渾沌純淨如同剛出生的嬰兒一般。在這個對比中，值得注意的是老子用的兩個比喻。“太牢”是禮樂文化的一部分，代表着尊敬，同時也包含着物質享受的意味。“春台”則可聯繫《論語．先進》來理解。曾晳的願望是“春服既成，冠者五六人，童子六七人，浴乎沂，風乎舞雩，詠而歸。”可見，春台之樂應是當時的一種社會風俗，既指肉體上的輕鬆享受，同時也伴隨着內在精神的愉悅。這不但是孔子所稱許的，在後世也受到人們的讚賞和推崇。但在老子看來，這

《老子》善本書合影

種精神的愉悅是凡俗者的心態，體道之士卻以平和且無所慾求的狀態遺世獨立。

凡俗者以有餘為上，以機敏、明察為榮，以致用為目的，這些我們熟悉的世俗價值標準是老子所不取的。在他看來，體道之士因其不盈而常新，因其渾然無知、無慾無求的樸素自然之質而保有天性。因而體道之士看似愚鈍鄙陋，柔弱無助，但實質上卻依自然之道，周行不殆，具有無限的生命力和包容力。從這當中我們可以清楚地看到老子對於庸常價值觀念的打破和顛覆，在強與弱、剛與柔的選擇中，以弱為上，以柔為貴。

再次，體道之士以與常人相反的狀態，體現出對物質的超越和對精神的追求。常人的精神狀態源自對於世俗價值標準的認同和遵循，以名利、享樂為目的，因而推崇能夠達到目的的喜樂、機智。體道之士以精神境界為追求，因而以恬靜、質樸、渾融的狀態來面對外在世界，以清明自然之心體悟世間萬物的規律並遵其道而行。可以說，正是對物質和精神關注的不同，使體道之士與凡俗之人有了如此迥異的精神差異。

二十一章

孔德之容，[1]惟道是從。

道之為物，惟恍惟惚。[2]惚兮恍兮，其中有象；恍兮惚兮，其中有物。窈兮冥兮，[3]其中有精；[4]其精甚真，[5]其中有信。[6]

自古及今，[7]其名不去，以閱眾甫。[8]吾何以知眾甫之然哉？[9]以此。[10]

注釋

1. 孔德：大德。孔，大也；德："道"之體現為"德"。容：面貌，引申為表現、舉止行為。
2. 惟恍惟惚：若有若無，難以辨認。
3. 窈兮冥兮：深遠幽暗之貌。
4. 精：氣，事物最微小的原質。《管子·內業》："精，氣之極也。"
5. 其精甚真：陳鼓應《老子注譯及評介》引嚴靈峰說："《次解》本無此四字；疑係古文羼入正文。"
6. 信：徵信，信驗。
7. 此句帛書甲乙本、傅奕本、范應元本作"自今及古"。
8. 以閱眾甫：總攬萬物之始。閱：總。《淮南子·俶真訓》："此皆生一父母而閱一和也"，高誘注："閱，總也。"眾甫：萬物的起源。眾，指萬物；甫，始。
9. 然，王弼本作"狀"。
10. 此：指"道"。

串講

大德的表現以“道”為轉移。

“道”這個東西，若有若無，難以辨認。它是那樣的惚惚恍恍，其中卻有形象；那樣的無影無形，其中卻有實物。那樣的深遠幽暗，其中卻有精質；這種精質是非常真實的，也是完全有信驗可憑的。

自古及今，它的名字永遠不會消去，依據它才能認識萬物的本原。我怎麼能知道萬物本原的情形呢？根據就是這個“道”。

評析

老子曾多次闡釋“道”無形的特點，然而“道”的功用以及“道”發揮其功用的方式，都與有形的物質世界相聯繫。本章通過對“道”顯現於物質世界性狀的描述，意在闡明“道”和“德”的關係。“道”是“德”的內容，沒有道就不能有“德”的功用；“德”是“道”的形式，沒有“德”就無法顯現“道”的力量。“孔德之容，惟道是從”是對“道”、“德”關係的概括和總結。“德”的運行以“道”為唯一的法則和準繩。對“道”、“德”關係的揭示，老子巧妙地從“道”由無形顯現為有形的途徑、方式和形態的角度入手，“道”“有象”、“有物”、“有精”、“有信”、“有名”的真實存在性，實質上就是“德”的表現形態。

在十四章中，老子說“道”“視之不見”、“聽之不見”、“搏之不得”、“無狀之狀，無象之象，是謂惚恍”，從多個層面、多種角度對道體幽而不顯，無法感知的特性進行了描述。

本章老子一方面重申“道”“惟恍惟惚”、“惚兮恍兮”的虛無本性，另一方面又特別強調“有象”、“有物”、“有精”、“有信”、“有名”的物質屬性。在此基礎上進一步明確提出，“道”由極其微小的物質組成，雖然無形無象，無法看見，但它客觀存在，萬物都由此而產生。對“道”兩方面特性的闡釋表明，“道”既抽象而不可名，“惟恍惟惚”、“惚兮恍兮”、“恍兮惚兮”、“窈兮冥兮”是講“道”“無”的一面；又形象而可名，“其中有象”、“其中有物”、“其中有精”、“其中有信”是講“道”“有”的一面。高延第《老子證義》釋此章云：“至道之狀，恍惚精微，非耳目可接，而確有執守，為古今所同歸，不可離也。《莊子》引廣成子教黃帝曰：‘至道之精，窈窈冥冥；至道之極，昏昏默默。無視無聽，抱神以靜。形將自正，必靜必清。無勞女形，無搖女精’云云，即此章之意。謂至道精微，執簡御煩，以靜制動，其本體如此也。”“道”發生作用的機制和原理是有、無關係的辨證，而有、無之關係正體現為“道”“德”之關係，“德”是“道”落實到人生層面的體現。人倫意義的道德世界需要人們積“德”配“道”，全方位把握事物的本質，從而將“道”的功用真正落到實處。

二十二章

曲則全，[1]枉則直，[2]窪則盈，[3]敝則新，[4]少則得，多則惑。

是以聖人抱一為天下式。[5]不自見，[6]故明；[7]不自是，[8]故彰；不自伐，[9]故有功；不自矜，[10]故長。[11]

夫唯不爭，故天下莫能與之爭。

古之所謂“曲則全”者，豈虛言哉！誠全而歸之。[12]

注釋

1. 曲：委屈。全：保全。又，黃瑞雲《老子本原》曰：“曲，義同《禮記．中庸》‘其次致曲’之曲，朱熹注為‘一偏也’。一偏即不全，不全乃能全。”可從。
2. 枉：屈。枉，《說文》釋曰：“斜曲也”。
3. 窪：凹陷，低窪。盈：滿。
4. 敝：破舊。
5. 抱一：守道。一，即“道”。式：法則、楷式。
6. 自見：自炫、自我表現。見，同於“現”。
7. 明：彰明。
8. 自是：自以為是。是，正確。
9. 自伐：自我誇耀。伐，誇。
10. 自矜：自是其能。矜，傲慢。
11. 長：長久，或作“長進”解，亦可。
12. 全：保持之意。歸：歸趨、歸向。黃瑞雲《老子本原》以為：“至‘夫唯不爭，故天下莫能與之爭’，全章文意已完。末三句並無深意，且稱‘曲則全’為‘古之所謂’，其為後人參入之語甚明。”

串講

受得住委屈，才能保全自己，經得起冤屈，才能得到伸展，低窪反而能盈滿，凋敝反而能新生，少取反而能多獲，貪多反而會迷惑。

因此，有“道”之人以“道”作為觀察天下事理的原則和範式。不自我表現，反而能夠顯明；不自以為是，反而能彰顯；不自我誇耀，反而能見功；不自是其能，反而能長久。

正因為不和別人爭奪，所以天下沒有誰能爭得過他。

古之所謂“委曲可以保全”，哪能是空話啊！信服它，那些在危難之中的人便能夠保全自己。

評析

本章主旨在“不爭”二字。陳鼓應《老子注譯及評介》釋曰：“求全之道，莫過於不爭。不爭之道，莫過於不自見（現）、不自是、不自伐、不自矜。而本章開頭所說的‘曲’‘枉’‘窪’‘敝’，也都具有不爭的內涵。”所釋甚明。本章從兩個層次論述了“委曲求全”是體道的最基本方式和最重要途徑。首先通過“曲”與“全”、“枉”與“直”、“窪”與“盈”、“敝”與“新”、“多”與“少”辨證關係的展示，得出“聖人抱一為天下式”的整體結論。接着又將“聖人抱一”的行為具體解析為不自見、不自是、不自伐、不自矜，概括為不爭。老子認為，事物是運動變化的，變化中的事物又包含着矛盾對立的兩面，這就要求人們對待事物必須具有應變的技能，不能盲目地執着於任何一方而忽視另一方。事物正反兩方面意義的存在同時也表明，負面意義的把握往往需要從正面去體會，而正面意義的探詢往往又是從負面中來。所以老子說："曲則全，枉則直，窪則盈，敝則新"，即"曲"裏面藏着"全"，"枉"裏面藏着"直"，"窪"裏面藏着"盈"，"敝"裏面藏着"新"。河上公對此闡釋極為明確，其注云："曲己從眾，不自專，則全其身也。枉屈己而申人，久久自得直也。地窪下，水流之；人謙下，德歸之也。自受弊薄，後己先人，天下敬之，久久自新也。自受取少，則得多也。財多者惑於所守，學多者惑於所聞。"

然而，現實中的人在探求事物時，因為急功近利，目光短淺，常常會只看到事物的表面現象，而忽視更深層次的另一面。而這些正是引起世道混亂，紛爭不斷的重要原因。於是，老子告誡人們："夫唯不爭，故天下莫能與之爭"。求全之道，不在進取，不在佔有，而在"不爭"。不爭之道又在於"不自見"、"不自是"、"不自伐"、"不自矜"。這樣，"不爭"的內涵又重新指向了本章開頭所提出的"曲"、"枉"、"窪"、"敝"的具體意義。由此可以認為，老子所謂"不爭"並不意味着行為主體對自己基本立場、基本目標的放棄，而是對把握事物途徑與方法的一種選擇。換句話說，"不爭"乃體道的一種方式。

二十三章

希言自然。[1]

故飄風不終朝，[2]驟雨不終日。孰為此者，[3]天地。天地尚不能久，而況於人乎？

故從事於道者同於道，[4]德者同於德，[5]失者同於失。[6]同於道者，[7]道亦樂得之；同於德者，德亦樂得之；同於失者，失亦樂得之。

（信不足焉，有不信焉。[8]）

注釋

1. 希：通“稀”，少。言：言語，這裏指政教法令。
2. 故：猶“夫”。“故”字常用為承遞連詞，相當於現代漢語中的“所以”，但是也可用為提起連詞，用於發端，與“夫”字相同。飄風：強風、大風。
3. 孰：誰，疑問代詞。此處指代“飄風不終朝，驟雨不終日”這兩種自然現象。
4. 從事於道：指行為遵循“道”的規律。
5. 德者：指行為得道者；同於德：指得道。黃瑞雲《老子本原》注此句云：“‘德者同於德’之德，通‘得’。王弼注，‘行得則與得同體’，‘行失則與失同體’。是王本原以‘得’、‘失’相對。”
6. 失者：指行為失“道”者。同於失：指失“道”。
7. “同於道者”以下六句，帛書甲乙本作“同於德者，道亦德之；同於失者，道亦失之。”
8. “信不足焉”二句為十七章文字，重出於此，衍文當刪。

串講

不言政教法令是合於自然的。

狂風颳不了一個早晨，暴雨下不了一整天。是誰造成了這一切呢？是天地。天地的狂暴行為尚且不能長久，更何況是人呢？

因此，依歸於"道"的人與"道"合一，依歸於"德"的人與"德"合一，行為失"道"者就會表現出暴虐恣肆的本性。與"道"一致的人，"道"也願意得到他；與"德"一致的人，"德"也願意得到他，失"道"失"德"的人就會得到失"道"失"德"的後果。

（誠信不住，才會有不信任的心理。）

評析

本章與十七章互相對應，都是探討治"道"的問題。"悠兮其貴言，功成事遂，百姓皆謂'我自然'"，十七章提出"貴言"。"希言自然"，本章提出"希言"。"貴言"、"希言"都與自然相聯繫，但這種對"言"的規定和要求顯然不是一般意義上的重複，二者各有側重，角度不同。"貴言"強調消除嚴刑峻法，消解政權壓力，人民與政治相安無事，理想政治的自然狀態指向施政主體的"我"，即上層統治者，自然是"貴言"之"我"的存在狀態。"希言"強調"不擾民"、"少聲教法令之治"，嚮往"清靜無為"之政。理想政治的自然狀態雖然也必然與施政主體發生聯繫，但"自然"之狀態似乎更指向施政者無為政治的行為方式，即"自然"是"希言"的結果，是對"希言"的一種判斷。

“希言”的重要，老子先從反面運用比喻進行了論證。“飄風不終朝，驟雨不終日”，再猛烈的狂風也不會颳一個早晨，再大的暴雨也不會下一整天。風雨作為天地創造的產物況且不能持久，天地的狂暴又能何為？天道對應於人道，天道尚且如此，統治者要靠暴政來統治人民顯然更是不合時宜。所以，“希言自然”，少發號施令，清靜無為，才是符合自然的為政之道。《莊子·列御寇》云：“知道易，勿言難。知而不言，所以之天也；知而言之，所以之人也；古之人，天而不人。”莊子此言正好與老子“希言”含義互相發明。再往後，老子進一步闡釋“道”、“德”、“失”三者之關係。同於“道”者可以得到“道”的容納，取法於“德”者可以得到“德”的畜養，失“道”失“德”的後果則是失去百姓，失去天下。老子將統治者的行為再次同“道”和“德”聯繫起來，從而論證“希言”與“自然”的關係。如果說“希言”是自然，是“道”的體現，那麼這種體現恰可以稱之為“德”。

二十四章

企者不立，[1] 跨者不行；[2] 自見者不明，自是者不彰，自伐者無功，自矜者不長。

其在道也，[3] 曰：餘食贅行。[4] 物或惡之，[5] 故有道者不處。[6]

注釋

1. 企：同於“跂”，抬起腳根而站立。
2. 跨：伸開過大的步子而行走。
3. 其在道也：猶言“就道而言”。
4. 餘食贅行：指殘剩之食，附贅之瘤。行，通“形”。
5. 物：指人。或：常。惡：厭惡。
6. 不處：指有道者不自見、自是、自伐、自矜。

串講

抬起腳根不能站穩，伸開過大的步子而行走不能遠行；自逞己見的人，看不明白事物，自以為是的人，辨不明是非，自我誇耀的人，事業不會有成就，自高自大的人，永遠不會長久。

從“道”的角度來看，這些急躁炫耀的行為，可以說都是剩飯殘羹和附贅之瘤。人們都厭惡它，所有有道之人都不會這麼做。

評析

本章“自見者不明，自是者不彰，自伐者無功，自矜者不長”，與二十二章“不自見，故明；不自是，故彰；不自伐，故有功；不自矜，故長”，字面意義基本相同，所不同是前者從正面立說，後者從反面論證。實質上，這一前一後並不是文字上的簡單重複，也不是論證方法的差異，相同的話題闡釋的是不同的道理。二十二章中強調的是“無為而無不為”，柔弱乃體道的基本方式。本章重在表明自見、自是、自伐、自矜這些輕浮、急躁的舉動，是人為的做作的違道行為，為有道之人所不處。“企者不立”，意思是抬起腳跟想站得更高卻反而站不牢；“跨者不行”，意思是兩步並作一步行卻反而走不快。兩個比喻都說明，一切急功近利、人為做作的行為往往都會損害正常的運行，是不能長久的，是注定要失敗的。自見、自是、自伐、自矜恰恰就是這樣一種輕浮躁動的不自然行為，在有道之人看來，這些舉動都是剩飯贅瘤，讓人厭惡。正如吳澄《道德真經注》所云：“自見、自是、自伐、自矜之人，若律之於自然之道，譬若食之已餘者不當食，行之如贅者不當行也。如多於常分而不可用，幽顯之間，有物亦當惡之，而有道之人，不肯以此自處也。”

陳鼓應先生在闡釋本章意旨時說：“本章不僅說明躁進自炫的行為不可恃，亦喻示着雷厲風行的政舉為人所共棄”。雷厲風行往往被人們當作一種辦事果斷、幹練的優秀品質，但在老子看來，這種幹練的作風同“企者”和“跨者”之間並不存在多大的距離，過於雷厲風行就會走向輕浮和躁動，同樣也是為有道之人所不處。

二十五章

有物混成，[1]先天地生。寂兮寥兮，[2]獨立而不改，[3]周行而不殆，[4]可以為天地母。[5]吾不知其名，字之曰“道”，[6]強為之名曰“大”。[7]大曰逝，[8]逝曰遠，[9]遠曰反。[10]

故道大，天大，地大，人亦大。[11]域中有四大，[12]而人居其一焉。

人法地，[13]地法天，天法道，道法自然。[14]

注釋

1. 物：指“道”。混成：混然而成，形容“道”的渾樸狀態。
2. 寂兮寥兮：沒有聲音，沒有形狀。寂，無聲；寥，無形。
3. 獨立：唯一存在，沒有匹配。
4. 周行：指道體運行無所不至，永無止息。一曰作循環運行，往復不止，亦可。殆：通“怠”，止息。
5. 母：本，天地為道所生，故曰“為天地母”。
6. 字：命名，取名。“字”字前傅奕本、范應元本等有一“強”字。
7. 名：名狀，即形容、描述的意思，意同於十五章的“強為之容”。大：形容道之廣大無垠，無所不包。
8. 曰：相當於“乃”、“則”，後二句中的“曰”字同此。逝：往，行，指變化發展。
9. 遠：無窮、無所不至。
10. 反：猶“復”，指返回本原、返回原狀。
11. “人”字原作“王”，此據傅奕本、范應元本改。

12. 域：指空間。

13. 法：效法、取法。

14. 自然：自然而然，聽認自化。

串講

有一種渾然一體的東西，在天地形成以前就存在着。聽不見它的聲音，也看不見它的形體，它獨立存在，永不改變，循環往復，永不疲倦，可以作為天地萬物的根源。我不知道它的名字，就勉強把它叫做“道”，再勉強給他一個名字就叫“大”。“大”就是指它廣大無邊而運行不止，運行不止意味着廣闊遼遠，廣闊遼遠最終又會返回原狀，回歸本原。

所以說，“道”大，天大，地大，人也大。宇宙間有四大，人是四大之一。

人取法地，地取法天，天取法“道”，“道”取法自然。

評析

本章用非常簡明的語言，全面論述“道”之品格，概括為如下五個特點：一、“有物混成，先天地生”。“有物混成”言“道”的渾樸狀態，即指“道”的無形無象，渾然而成，先天地而存在的品格，所以王弼注此句曰：“混然不可得而知，而萬物由之以成，故曰混成。”“有物混成”之“物”，同於二十一章“道之為物”之“物”。二、“寂兮寥兮”。“道”無聲無形，本來是不可以定名的，既已定名也只能是暫時的。三、“獨立而不改”。“獨立”云者，言道體之絕對與永恒，指出“道”是一種絕對存在，其獨一無二，沒有什麼可以與它匹配。

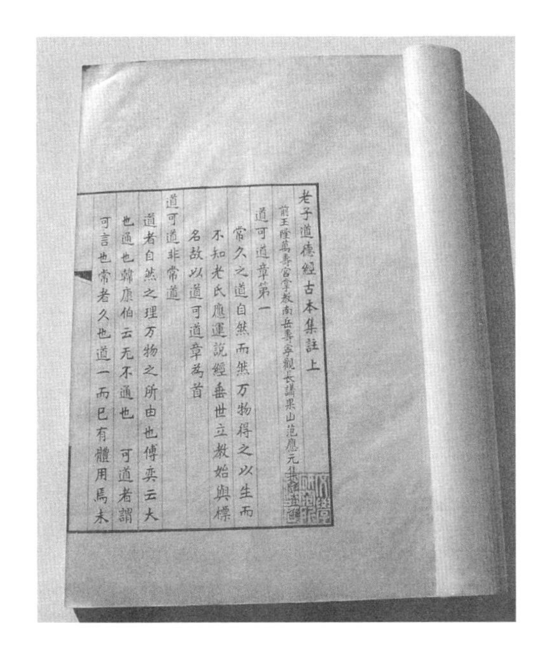
老子道德經古本集註上
前玉隆萬壽宮掌教南岳壽寧觀長講果山范應元集
道可道章第一
常久之道自然而然万物得之以生而
不知老氏應運說經垂世立教始與標
名故以道可道章為首
道可道非常道
道者自然之理万物之所由也傅奕云大
也通也韓康伯云无不通也　可道者謂
可言也常者久也道一而已有體用焉未

范應元《老子道德經古本集注》

所謂“不改”，按照王弼的解釋，就是：“(“道”) 無物匹之，故曰獨立也。返化始終，不失其常，故曰不改也。”四、“周行而不殆”。“周行”句言“道”之功用的廣大與無窮。“周行”之“周”可以有兩種理解：一種是指“全面”、“周遍”，王弼注曰：“周行，無所不至。”即取此意。一種是指“循環”、“往復”。兩種解釋似均可通。五、“可以為天地母”。“道”乃天下萬物之根本。河上公對這五個特點做了很好的解釋，其文云：“謂道無形混沌而成萬物，乃在天地之前。寂者，無音聲；寥者，空無形；獨立者，無匹雙；不改者，化有常。道通行天地，無所不入。在陽不焦，托陰不腐，無不貫穿而不危怠。道育萬物精氣，如母之養子。”這樣的存在，老子進一步強調："吾不知其名，字之曰'道'，強為之名曰'大'。大曰逝，逝曰遠，遠曰反"。河上公注云："我不見道形容，不知當何以名之。見萬物皆從道所生，故字之曰道也。不知其名，強曰大者，高而無上，羅而無外，無不包容故曰大也。其為大，非若天常在上，非若地常在下，乃復逝去，無常處所也。言遠者，窮乎無窮，佈氣天地，無所不通也。言反者，遠不越絕，乃復在人身也。"

基於"道"上述的存在特性，老子接着闡明"道"在宇宙圖像中的地位和影響，描述了"道"、"天"、"地"、"人"遞歸相依的運行規律，最後歸結為"人法地，地法天，天法道，道法自然"。張舜徽先生解釋說："《老子》所謂人法地者，法其寧靜而生長萬物也；地法天者，法其遼闊而施不求報也。《老子》以'道'為'先天地生'，'可以為天下母'，故推尊之曰'天法道'，道主無為，故又云'道法自然'"。此域中四大，人為萬物之靈，但它應該效法地，效法天，效法"道"，而"道"效法自然，一個遞歸循環運動過程，人也回到了自然。這是老子哲學對"道"存在特性及其運行規律的展示，同時也是對其實在性和物質性的揭示。

二十六章

重為輕根，[1]靜為躁君。[2]

是以聖人終日行，[3]不離輜重。[4]雖有榮觀，[5]燕處超然。[6]奈何萬乘之主，[7]而以身輕天下。[8]

輕則失根，[9]躁則失君。

注釋

1. 根：本，基礎。
2. 君：根本，本元。
3. 此句中“聖人”景龍碑本、傅奕本、蘇轍本等多種古本以及帛書甲本作“君子”，《韓非子·喻老》亦引作“君子”。
4. 輜重：外出或行軍時載運糧食、衣物等後勤物資的車子。輜，有帷蓋的大車。
5. 榮觀：華美的物質生活。
6. 燕處：安然處之。
7. 奈何：怎麼，質問語氣詞。萬乘之主：大國的君主。乘：車數，古時以一輛兵車四匹馬為一乘。周代制度，天子地方千里，出兵車萬乘，故天子稱萬乘，至戰國時大國諸侯亦稱萬乘。
8. 而以身輕天下：意指萬乘之主常以其身輕動於天下。
9. “根”字王弼本原作“本”，河上公本以及其他多種古本作“臣”，而《永樂大典》，吳澄本作“根”，俞樾《老子平議》亦以為應作“根”，以首尾相應。

串講

厚重是輕率的基礎，鎮靜是躁動的根本。

因此，君子整天行走，離不開載有糧食、衣物等後勤物資的輜重車。雖然有榮華的生活，卻能安然處之。為什麼一個萬乘大國的君主，還會輕率躁動而治天下呢。

輕舉就會失去制衡的基礎，妄動就會失去主體和根本。

評析

"重"和"靜"兩字的含義是理解本章主旨的關鍵。"重"的含義少有疑義，"靜"的內涵頗有分歧。老子所謂"動"和"靜"雖然是對立統一的關係，但與現代哲學意義上的"動""靜"含義甚有區別。

本章以輕、重、動、靜的關係勸喻人君要持重守靜，而不要縱慾自輕、急功好事。十三章云："貴大患若身"、"貴以身為天下"。老子明確提出了"貴身"的思想，認為理想政治的統治者應該以"貴身"為本，而不能只顧及自己身外的寵辱毀譽。這一思想又可見於四十四章："名與身孰親？身與貨孰多？得與亡孰病？"一般人只顧及自己身外的名利，而不顧及自身的修養。本章又提出"奈何萬乘之主，而以身輕天下？"這一思路與上述"貴身"思想一脈相承，"貴身"與"重身"說法不同，含義相類。蔣錫昌釋"輕則失根，躁則失君"句云："言人君縱慾自輕，則失治身之根；急功好事，則失為君之道也。"又云："重謂寡慾自重，輕謂縱慾自輕，二者皆以治身言。靜謂清靜無為，躁謂急功好事，二者皆以治國言。"老子本章所說的"重"、"輕"自然當就"身"而言，"靜"、"躁"

則是“重”、“輕”兩種人生態度所體現出來的行為方式，所指對象是“天下”，表現的行為即治國。高延第《老子證義》對此亦所釋甚明，其文云：“重謂己身，輕謂天下。靜謂無為，躁謂有為。身治而後天下治，無為而後能有為。故身為天下事物之本，無為又理煩治劇之主，君即主也。輜重所以衛身，言聖人終日所行，不外治身之事，雖有眩惑耳目之事，不關於內念，謂心不役於萬物，超然物表也。後世人主視天下為重，以一身為輕，皆不知身為治本，不治身則失其本；靜以御動，不能靜則中無主；均不足以治天下。”

《韓非子·喻老篇》云：“制在己曰重，不離位曰靜。重則能使輕，靜則能使躁，故曰：‘重為輕根，靜為躁君。’故曰：‘君子終日行不離輜重也。’邦者，人君之輜重也。主父生傳其邦，此離其輜重者也，故雖有代，雲中之樂，超然已無趙矣。主父萬乘之主，而以身輕於天下。無勢之謂輕，離位之謂躁，是以生幽而死，故曰：‘輕則失臣，躁則失君’，主父之謂也。”老子的這一思想被古代政治家當作政治哲學，廣泛運用於修身、齊家、治國、平天下，產生了深遠的影響，然對普通人日常行為而言仍不失警策作用和指導意義。

二十七章

善行無轍跡，[1]善言無瑕謫，[2]善數不用籌策，[3]善閉無關楗而不可開，[4]善結無繩約而不可解。[5]

是以聖人常善救人，故無棄人；常善救物，故無棄物。是謂襲明。[6]

故善人者，不善人之師；[7]不善人者，善人之資。[8]不貴其師，不愛其資，雖智大迷，是謂要妙。[9]

注釋

1. 轍跡：指車、馬經過處所留下的轍印和足跡。
2. 瑕謫：過錯、疵病。
3. 數：計算。籌策：舊時計數用的竹製器具。
4. 閉：關門。關楗：插門用的木條，橫者叫關，豎者叫楗。
5. 繩約：即繩索。
6. 襲明：猶言“襲德”，及體道、得道之意。襲，承襲、因順；明，同於十六章、二十五章“知常曰明”之“明”，指體道的智慧。
7. 師：楷模。
8. 資：取資，借鏡。
9. 要妙：精微玄妙。

串講

善於行走的人，不留痕跡，善於言談的人，沒有差錯，善於計數的人，用不着籌碼，善於關閉的人，不用插門用的木條也能使人打不開門，善於捆縛的人，不用繩索也能使人解不開。

因此，有道之人善於做到人盡其才，沒有被廢棄的人；善於做到物盡其用，沒有被廢棄的物。這就是體道、得道的境界。

所以，善人可以做不善人的老師，不善人可以作為善人的借鏡。不尊重自己的老師，不珍惜自己的借鏡，雖然自以為聰明，其實是大糊塗，這是極其精微玄妙的道理。

評析

本章重申“自然無為”的思想並作相關的引申。首先列舉行、言、數、閉、結五種事例，說明順乎自然天性，使天下無為而治的重要性。吳澄《道德真經注》云：“行者必有轍跡在地，言者必有瑕謫可指，計數者必用籌策，閉門者必用關楗，結繫者必用繩約，然皆常人所為耳。有道者觀之，則豈謂之善哉！善行者以不行為行，故無轍跡；善言者以不言為言，故無瑕謫；善計者以不計為計，故不用籌策；善閉者以不閉為閉，故無關楗，而其閉自不可開；善結者以不結為結，故無繩約，而其結自不可解。舉五事為喻，以領起下文。”行之善者莫過於“無為”，所以“善行”指“無為”，也就是王弼注曰：“順自然而行，不造不始。”“善言”、“善數”、“善閉”、“善結”皆喻指自然無為之行徑，將老子“自然無為”思想引申到更廣泛、具體的行為領域，正如林希逸所說：“以自然為道，則無所容力，亦無所容跡。”

“自然無為”乃有道者所為，而有道之人在接人待物的態度和方法上，往往又有一種超乎常人的體道的智慧。他們善於挽救人，所以根本就沒有無用之人；他們善於挽救物，所以根本也沒有無用之物。“無棄人”和“無棄物”體現出有道者胸懷的寬廣與大度，人盡其才、物盡其用的大同理想世界更表現出為政者的聰明與智慧，老子把這種不顯露的聰明稱之為“襲明”。吳澄《道德真經注》釋云：“襲者如以外衣掩蔽其內衣。儻救人救物之功彰彰而明，天下皆見其救之，不謂之善救也。必使無救之之跡，掩蔽其所可見，而眾莫能知，故曰襲明。善救人，善救物，與善行、善言、善計、善閉、善結，凡七善字，有道者謂之善，世俗不知其善也。蓋世俗以能為其事為善，有跡可見有名可稱，而與不善為對。有道者以不為其事為善，泯然無跡，渾然其名，而無與為對者也。”

有道者的另一種胸懷是，對於善人和不善之人都能一視同仁，同時加以善待，並善於向所有的人學習。善人是自己的老師，不善之人是自己的借鑒。或從善如流，或引以為鑒，使自己隨時隨地都能得到啟示與進步。老子將這種胸懷和智慧稱之為“要妙”。馬其昶《老子故》釋云：“見不善，非徒以為戒，又必教之使善，然後吾之善量足，是不善人正善人為善之資。故善者吾師之，不善者亦當愛而教之，此天下所以無棄人也。然世俗恒情，往往忌嫉賢能，而輕棄不肖。忌賢，則善者無以勸；棄不肖，則不善益流於惡。不貴其師，不愛其資，雖在智者，猶迷於此，以其道誠要妙也。”

二十八章

知其雄，守其雌，[1]為天下谿。[2]為天下谿，常德不離，[3]復歸於嬰兒。[4]

知其白，（守其黑，為天下式。為天下式，常德不忒，復歸於無極。知其榮，[5])守其辱，[6]為天下谷。為天下谷，常德乃足，復歸於樸。

樸散則為器，[7]聖人用之，[8]則為官長，[9]故大制不割。[10]

注釋

1. 雄，喻剛強；雌，喻柔順。"知雄守雌"是一個事物的兩個方面。
2. 谿：同"溪"，山澗，下文"谷"與此同義。
3. 常德：恒久之德，亦即常道。
4. 嬰兒：喻純樸自然。
5. 從"守其黑"到"知其榮"六句，易順鼎《讀老劄記》、馬敘倫《老子校詁》、高亨《老子正詁》等均認為係後人竄入之語。式：即栻，古代占卜器具，同於二十二章"聖人抱一為天下式"之"式"，這裏可作"工具"解。忒：差錯。
6. 辱：黑，引申為污損暗昧、昏昏悶悶之意。
7. 樸：未經雕琢之木，引申為純真、質樸之意。器：有形之具，指天下萬物。
8. 之：指樸。此句帛書本乙本"用"字後有一"之"字。
9. 官長：百官之長，即指君主。
10. 大制：保持原質而不損傷、不改變其質性的製作，即自然天成而絕無人為雕琢之意。

串講

雖然知道什麼是剛強，卻能安於柔弱，心甘情願處於最低卑之處。處於最低卑之處，恒久之德就不會離失，從而回復到單純的嬰兒狀態。

知道什麼是明亮，（卻安於暗昧，甘於做管理天下的工具。做管理天下的工具，永恒的德性才不會偏離，回復到不可窮極的真理。知道什麼是榮耀，）卻安處昏昧之所，甘願處於下流。處於下流，永恒的德性就會得到充實，而回復到"道"的真樸狀態。

質樸的"道"分散了就會成為天下各種具體的器物，有道之人沿用的是真樸，這樣就能成為百官之長，所以，治理天下的理想原則是自然天成而絕不去人為雕琢。

評析

"雄""雌"喻指強弱，"知雄守雌"是一個事物的兩個方面。"溪""谷"象徵謙下涵谷；"嬰兒"象徵純真；"樸"象徵質樸。

《莊子·天下篇》云："知其雄，守其雌，為天下溪；知其白，守其辱，為天下谷。人皆取先，己獨取後，曰受天下之垢；人皆取實，己獨取虛，無藏也故有餘，巋然而有餘。其行身也，徐而不費，無為也而笑巧；人皆求福，己獨曲全，曰苟免於咎。以深為根，以約為紀，曰堅則毀矣，銳則挫矣。常寬容於物，不削於人，可謂至極。"老莊均認為柔弱、退守是保身處世最好的原則。然守其雌柔也並非一味地盲目退讓，在雌雄的對立中，

“知其雄”是“守其雌”的重要前提。陳鼓應《老子注譯及評介》解釋說：“在雄雌的對待中，對於‘雄’的一面有透徹的瞭解，而後處於‘雌’的一方。‘守雄’的‘守’，自然不是退縮或迴避，而是含有主宰性在裏面，它不僅執持‘雌’的一面，也可以運用‘雄’的一方。因而‘知雄守雌’實為居於最恰切妥當的地方而對於全面境況的掌握。”“守雌”固然重要，“知雄”亦不可忽略。陳鼓應強調：“老子不僅‘守雌’，而且‘知雄’。‘守雌’含有持靜、處後、守柔的意思，同時也含有內收、凝斂、含藏的意義。”這是對“知雄守雌”最準確、最全面的理解。

在本章裏，老子還提出了諸如“谿”、“谷”、“樸”、“嬰兒”等許多重要的概念，通過這些概念象徵意義的延伸進一步闡明“知雄守雌”的意義、方法和途徑。“樸”、“嬰兒”在老子書中曾多次提及，如十五章：“敦兮其若樸”；十九章：“見素抱樸”；三十七章：“鎮之以無名之樸”；五十七章：“我無欲而民自樸”。十章：“專氣致柔，能如嬰兒乎”；二十章：“沌沌兮如嬰兒之未孩”；五十五章：“含德之厚，比於赤子”。《列子·天瑞篇》云：“其在嬰孩，氣專志一，和之至也，物不傷焉，德莫加焉。”嬰兒是“樸”的形象解說，是老子返樸歸真的自然樸素狀態，也是所謂“知雄守雌”所追求的理想境界。“大制不割”正是對這種理想社會的描述，也是對上述闡釋的總結。高亨說：“大制因物之自然，故不割，各報其樸也。”蔣錫昌說：“‘大制’猶云大治，‘無割’猶云無治。蓋無治，可以使樸散以後之天下復歸於樸，正乃聖人之大治也。”全章整體貫穿着老子對“樸”的嚮往和追求，是老子哲學的最高境界和最終歸宿。

二十九章

將欲取天下而為之，[1] 吾見其不得已。[2]

天下神器，[3] 不可為也，不可執也。[4] 為者敗之，執者失之。（是以聖人無為，故無敗；無執，故無失。[5]）

故物或行或隨，[6] 或歔或吹，[7] 或強或羸，[8] 或載或隳。[9] 是以聖人去甚，[10] 去奢，[11] 去泰。[12]

注釋

1. 取：訓為"治"，同於四十八章"取天下常以無事"之"取"。為之：為，作為，強力而為，下文"不可為"、"為者"之"為"與此同。之：指天下，下文"敗之"、"失之"中的"之"字同於此。
2. 不得：不可能。已：句末語助詞，通"矣"。
3. 神器：神聖之物。
4. 執：固守、把持。王弼本原缺此句，劉師培《老子斠補》、易順鼎《讀老劄記》根據《文子》所引以及王弼注中有"不可執"字樣，認為此處脫"不可執也"四字，據補。
5. 從"是以聖人無為"至"故無失"原為六十四章文字，奚侗《老子集解》認為其在六十四章與上下文意不相連接，應屬二十九章文，故移於此處。
6. 故：猶"夫"。物：指人，與二十四章"物或惡之"之"物"意同。或行或隨：或者走在前，或者跟在後。
7. 或歔或吹：或者呴暖，或者吹寒。歔，同"呴"、"嘘"；緩嘘則溫，急吹則寒。河上公本作"或呴或吹"。
8. 羸：弱。

9. 載：安。隳：危。乘車曰載，可引申為安；落車曰隳，引申為危。

10. 甚：苛嚴，過分。河上公本注曰："甚，謂貪淫聲色；奢，謂服飾飲食；泰，謂宮室台榭。"黃瑞雲《老子本原》認為河上公之說不確，其文云："河上之說，後世多有從之者，其實並不確切。全章之意，謂人本有各種情況，強弱先後都屬正常，不應過分強求。若照河上之說，解釋具體生活享受，則上下文意不接。《老子》原文內涵豐富，過於實指，反而束縮了它的外延。"黃說可從。

11. 奢：勝，爭勝。

12. 泰：驕縱。

串講

用強力去治理天下是不能達到目的的，天下是神聖之物，是不可以出於強力隨意擺佈的。誰使用強力，一定會失敗，誰特意去把持，一定會失去。因此，聖人從不妄為，所以能不失敗，從不把持，所以能不失去。天地間一切事物，有的前行，有的後隨；有的屏息，有的急吹；有的強壯，有的衰弱；有的增益，有的損毀。因此，聖人必須避免極端，不要爭強好勝，不要過分驕縱。

評析

本章老子提出"清靜無為"的治國原則，並向獨裁者提出警告。老子將天下比喻為"神器"，"神器"的自然特性決定了統治者治國必須做到"無為"、"無執"、"去甚"、"去奢"、"去泰"。蔣錫昌《老子校詁》云："'神器'即人，以人為萬物之靈也。'為'即有為。'執'亦有為之意。'天下神器，不可為也，不可執也；為者敗之，執者失之'，言天下乃萬民所組成，人君不可施以有為；如施以有為，必致失敗無疑也。"河上公注云："器，物也，人乃天下之神物也；神物好安靜，不可以有為治也。""器"是老子最為常用的一個概念，在老子書中曾多次提到，如十一章："埏埴以為器，當其無，有器之用"；二十八章："樸散則為器"；三十一章："兵者不祥之器，非君子之器"；三十六章："國之利器不可以示人"；五十七章："人多利器，國家滋昏"；六十七章："不敢為天下先，故能成器長"；八十章："小國寡民，使有什伯之器而不用"。但本章所謂"神器"與上述諸"器"的內涵顯然不同，而與莊子所謂"大物"含義基本一致。《莊子·在宥》云："夫有土者，有大物也。有大物者，不可以物；物而不物，故能物物。明乎物物者之非物也，豈獨治天下百姓而已哉！""神器"的人性特徵決定了它同其他器物的本質差別。正是這種差別的存在，老子才提醒統治者不要像對待普通"器"那樣去對待"神器"。天下是天下人的天下，而不是統治者的個人財產，因而管理天下或國家的權利不可以像對待財富那樣任意把持和佔有。任何隨心所欲，玩弄權術的行為是注定要失敗的。

老子進而指出，天下由天下人所組成，而天下之人，秉性不同，興趣各異，人君切不可將自己的意志強加於人，如果以強力而有所作為，或以暴力統治人民，都將會自取滅亡。理想的統治者往往能因勢利導，順其自然，尊重客觀規律，真正做到"無為"、"無執"、"去甚"、"去奢"、"去泰"。

三十章

以道佐人主者，[1]不以兵強天下。[2]其事好還。[3]師之所處，荊棘生焉。大軍之後，必有凶年。[4]

善者果而已，[5]不敢以取強。[6]果而勿矜，果而勿伐，果而勿驕，果而不得已，[7]果而勿強。

物壯則老，[8]是謂不道。[9]不道早已。[10]

注釋

1. 人主：最高統治者。
2. 強：逞強。
3. 其事好還：用兵之事一定會得到迴還報復。其事，指以兵強天下；好還，猶言迴還。
4. 凶年：饑荒之年。景龍碑本、唐人《殘卷》丁本無“大軍之後，必有凶年”二句，馬敘倫《老子校詁》、嚴靈峰《老子達解》認為係古注羼入正文。
5. 善者：指善用兵者。果：勝，也可解作效果、目的。此句王弼本作“善有果而已”，景龍碑本作“故善者果而已”。
6. 取強：用強、逞強。此句景龍碑本缺“敢”字。
7. 已：太過、甚。
8. 壯：強、盛。
9. 不道：不合於“道”。
10. 已：止息、滅亡。

串講

以“道”輔佐君主的人，從來不靠武力逞強於天下。用兵這種事情很容易被報復。軍隊駐紮過的地方，荊棘叢生。大戰過後，一定會變成荒年。

善於打仗的人只求達到救濟危難的目的，獲得勝利就適可而止，從不運用武力逞強。達到勝利的目標了，不矜持、不誇耀、不驕傲，認為採取這樣的手段來達到這樣的目的，完全是不得已而為之，因此，即使勝利了，也從不逞強。

所有氣勢壯盛的都會走向衰敗，這說明壯盛而逞強是不合於“道”的。不合於“道”的事物很快就會消亡。

評析

戰爭是政治的體現，自古以來人類社會的發展進程就是與戰爭同伴而行的。“善者果而已，不敢以取強”一句是理解本章主旨的關鍵，體現了老子的戰爭思想。老子所生活的年代是一個列強爭雄、諸侯爭霸的戰爭年代，本章明確表述了老子對待戰爭的態度。“不以兵強天下”是本章主旨所在。老子認為，人類最殘酷、最愚蠢的行為莫過於戰爭，“師之所處，荊棘生焉。大軍之後，必有凶年”，戰爭過後給老百姓帶來的是巨大的災難。參戰的任何一方都將會為自己的戰爭行為付出代價，戰爭中沒有真正的勝利者。老子在這裏表現出的反戰思想極其明確。

然而，任何戰爭又必然都是一種雙方的行為，當敵人兵臨城下，萬不得已之時，戰爭的行為已經不可避免。面對這樣的局面，老子告誡：“善者果而已，不敢以取強。果而勿矜，果而勿伐，果而勿驕，果而不得已，果而勿強”。一旦戰爭爆發，應該將戰爭進行到何種程度，應該用什麼樣的方式結束戰爭，老子認為應該把握的分寸是“果而已”。對“果”字含義的理解是我們準確把握老子反戰思想的關鍵，而歷來注家理解多有分歧，主要有以下幾種意見：一、救濟危難。如王弼注：“‘果’猶‘濟’也。言善用師者，趣以濟難而已矣。”二、完成。如司馬光說：“果，猶成也。大抵禁暴除亂，不過事濟功成則止。”三、勝。如王安石說：“‘果’者，勝之辭。”高亨說：“《爾雅・釋詁》：‘果，勝也。’‘果而已’猶勝而止。”四、殺敵。高延第《老子證義》云：“果，謂殺敵。已，止也。人來伐我，不得已而敵之，是曰應兵。勝之則止，不必窮極兵勢也。”五、效果。陳鼓應《老子注譯及評介》釋“果”為“效果”。其實，這種理解的差異只是一種字面上表述的不同，老子原意都是在講怎樣將不得已發生的戰爭控制在適當的範圍之內。“果而勿矜，果而勿伐，果而勿驕，果而不得已，果而勿強”五句，已經對“果而已”的內涵做了全面的詮釋。

三十一章

夫兵者不祥之器，[1]物或惡之，[2]故有道者不處。[3]

兵者不祥之器，非君子之器，不得已而用之。恬淡為上，[4]勝而不美。[5]而美之者，是樂殺人。夫樂殺人者，則不可得志於天下矣。

吉事尚左，[6]凶事尚右。君子居則貴左，[7]用兵則貴右。[8]偏將軍居左，上將軍居右。言以喪禮處之。殺人眾以悲哀泣之，[9]戰勝以喪禮處之。

注釋

1. 兵：兵器，引申為用兵打仗。器 ：物，事。夫兵者：王弼本作"夫佳兵者"，其他古本略同，帛書本作"夫兵者"。王念孫《讀書雜志》認為當作"夫隹兵者"；"隹"即古"唯"字，"夫隹"即"夫唯"，為老子常用的關聯詞。據帛書本改。
2. 物：人、人們。或：往往，總是。此句連同下句又見二十四章，馬敘倫《老子校詁》認為是二十四章文字錯簡復出。
3. 不處：不用。
4. 恬淡：淡然、安靜。"恬淡"二字傅奕本作"恬憺"，河上公本作"恬恢"，帛書本甲本作"銛襲"，乙本作"銛龍"。此處用"恬淡"，詞義難以索解，有待考訂。
5. 美：頌揚、誇耀。
6. 尚左：以左為重、為尊。古人認為左陽而右陰，陽生而陰殺，所以君子日常居處以左為大。所謂"尚左"、"尚右"、"貴左"、"貴右"、"居左"、"居右"，皆為古代禮儀。

7. 居：平居，平時。

8. 老子認為用兵主殺，故為凶事，因而“尚右”。以上二句原在“故有道者不處”句下，余培林《新譯老子讀本》以為是衍文，主張刪去；黃瑞雲《老子本原》以為移置“凶事尚右”下可使文意暢達，從之。

9. 悲哀：王弼今本作“哀悲”。傅奕本、河上公本及眾古本均作“悲哀”。泣：有兩種解釋：一、哭泣；二、“蒞”字的誤寫。

串講

用兵打仗是不祥的事情，人們往往厭惡它，所以有道之士不使用它。

用兵打仗是不祥的事情，不是君子所使用的，直到萬不得已才會使用它。即使這樣，也要淡然處之，勝利了也不自我誇耀，如果自我誇耀，則說明此人嗜好殺人。嗜好殺人的人是不能得志於天下的。

吉慶的事情以左邊為重，凶喪的事情以右邊為重。君子平時以左為重，而用兵之時則是以右為重。偏將軍的位置居於左邊，上將軍的位置居於右邊，也就是說要以喪禮儀式來處理用兵打仗的事情。戰爭中如果殺人眾多，就要用悲哀的心情來為其哀悼，即使打了勝仗也要以喪禮的儀式來處理它。

評析

本章承上章，是對老子反戰思想的進一步闡釋，但內容更為豐富，對戰爭的認識也更為深刻。“夫兵者不祥之器，物或惡之，故有道者不處”，高延第《老子證義》釋云：“兵者殺人之器，人所畏惡。有道之人，不以善用兵自處。左陽主生，右陰主殺”。本篇開頭即明確表明了作者的反戰立場。“吉事尚左，凶事尚右”往後各句，從中國古代禮儀的獨特視角，將征戰之事與社會一般的禮儀習俗相比照，闡述了戰爭給社會帶來的危害，認為樂於發動戰爭的人將不會有好的結果。對戰爭所帶來的傷亡以及給普通百姓造成的災難給予了深切的同情和憐憫，從而揭示出社會禮儀習俗中所潛藏的貶兵反戰思想及其文化意義。

然而，老子並沒有對戰爭進行全面的否定，雖然厭惡戰爭；但並不主張摒棄軍備，雖然承認戰爭給社會造成的危害，但又不得不正視戰爭的存在。儘管“兵者不祥之器，非君子之器”，卻也有“不得已而用之”的特殊情形。為了除暴救民，君子或許迫不得已而採取戰爭的手段。“恬淡為上，勝而不美。而美之者，是樂殺人。夫樂殺人者，則不可得志於天下矣”，在此，老子並沒有對與戰爭本身相關的問題作任何闡釋，而是將自己的觀點又重新放回到了對戰爭“有道者不處”的整體認識上。即使是迫不得已的戰爭行為，也必須是“恬淡為上”，戰爭贏得了勝利，也不要自鳴得意，自我炫耀。那些炫耀戰爭勝利的人就是把殺人當成了樂事，就是喜歡殺人的人，而喜歡殺人的人是無法得志於天下的。從另一個視角，老子再一次申說了自己的反戰主張。“殺人眾以悲哀泣之，戰勝以喪禮處之”，體現出老子強烈的人道主義精神。

三十二章

道常無名，[1]樸。[2]雖小，[3]天下莫能臣。[4]侯王若能守之，[5]萬物將自賓。[6]

天地相合，以降甘露，民莫之令而自均。[7]

始制有名，名亦既有，夫亦將知止，[8]知止可以不殆。

譬道之在天下，[9]猶川谷之於江海。[10]

注釋

1. 名：名狀，此句言道體虛無，不可名狀，故"無名"。
2. 樸：未經雕琢之原木，這裏形容道體樸素自然之品格。"道常無名樸"通常有三種斷句法，一為"道常無名，樸"；一為"道常無名樸"；還有一種斷法是"道常無名，樸雖小"，將屬下讀，這裏選第一種斷法。
3. 小：形容道之隱微而不見，三十四章曰道"可名於小"。
4. 莫能臣：沒有誰能使之臣服。
5. 侯王：指統治者。之：指道。
6. 自賓：自動臣服；賓，臣服。
7. 民：泛指人，猶言人們。莫之令：沒有誰命令它。自均：自然均勻。
8. 知：知道。止：停止的地方。知止是指萬物有了名稱以後，不能加以濫用，應該有所制約，知道它的使用範圍，做到適可而止，不能超越一定的限度和範圍。
9. 道之在天下：指道存在於天地之中。

10. 川谷之於江海：指小溪小流都流向江海。

串講

“道”往往是不可名狀的，道體樸素自然。雖然隱微而不可見，但是天下沒有人可以讓它臣服於己。統治者如果能守道而治，天下百姓則會自動歸服。

天地間陰陽之氣相互應合，就會降下甘露，人們沒有命令它而會自然分佈均勻。

“道”創造了萬物，萬物就有了名稱，有了名稱之後，要懂得如何節制，適可而止，只有知道事物的使用範圍而有所節制，才不會有什麼危險。

“道”存在於天地之間，萬物歸順，就好像小溪要歸入大海一樣，“道”是天下萬物的歸趨。

評析

本章以“樸”喻“道”，強調“道”之原始無名。原始無名之特點當包括不自見、不自是、不自伐、不自矜等諸多內涵，總稱之為“樸”，具體體現為“小”。所謂“小”並非指“道”的外表和功能，也不是指其形狀和質量，而是指其幽隱不可見、不可聞的特性。事實上，“道”是宇宙萬物之根本，它無所不包，無處不在，大到無邊，不可限量。可本章老子並沒有言“道”之大，而是從另一個相反的角度闡釋“道”之本性。“大”“小”詞義相對，而在老子“道”的概念裏得到了辨證統一。“道”精微而無所不入，幽隱不見，可謂之“小”。小小之“道”，其功能可謂神奇。“雖小，天下莫能臣。侯王若能守之，萬物將自賓”，這是對“道”功能的總結和讚美。然而，“道”功能的發揮，將會使萬物興作而產生各種名稱，即“始制有名”。“名”是人類社會引起爭執、引起混亂的根源，定名分、設官制，社會由此陷於紛擾。老子告誡人們，在名分面前，唯一的辦法是“夫亦將知止，知止可以不殆”。

在闡釋“道”的功能和“知止可以不殆”的道理時，老子運用了兩個形象的比喻。第一個是用“天地相合，以降甘露，民莫之令而自均”比喻天道本自公平，不需要人作任何干涉，即可揮灑自如，均衡有道。形象說明了“道”“雖小，天下莫能臣。侯王若能守之，萬物將自賓”的特殊功能。另一個是用“川谷之於江海”比喻“道之在天下”。天下就好比江海，而“道”正像河流、湖泊，再長的河流終歸要流入大海，為大海所包容。人於名分又何嘗不是如此？川谷猶知“止”於江河，人“亦將知止”於“名分”。只有如此，方能消除憂患，即“知止可以不殆”。

三十三章

知人者智，[1] 自知者明。

勝人者有力，自勝者強。

知足者富，[2] 強行者有志。[3]

不失其所者久，[4] 死而不亡者壽。[5]

注釋

1. 知：知道、瞭解。
2. 富：充實之意。
3. 強行：勉力勤行之意。
4. 所：自身所處之位置，意謂一個人只有安於自己所處之位置，不為非分之想，方能長久。
5. 死而不亡：身死而道存，雖死猶生，意同於《左傳》襄公二十四年之“死而不朽”。

串講

能夠瞭解別人的長短善惡的才是智慧，能夠知道自己良知本性的才是高明。

能夠戰勝別人的是有威力，能夠戰勝自己的才是堅強。

能夠知道滿足時時感到充實，能夠勉力勤行大“道”的才是有志。

常處於“道”而不喪失根基可謂長久，身雖死而“道”猶存才可謂長壽。

評析

本章論個人之精神修養。高延第《老子證義》釋此章云：“人世爭競之故，皆欲以豪盛自處，不知自反故耳。道德之人，不貴知人勝人，而貴自知自勝。常存止足之分，勉強道德之途，循分守約，故無失而可久。”老子將人精神修養的具體內涵概括為“知人”、“勝人”和“自知”、“自勝”兩個方面。但在論述兩方面的重要性及意義和價值時，老子強調的顯然是“自知”、“自勝”的方面。《老子》七章云：“天地所以能長且久者，以其不自生，故能長生。是以聖人後其身而身先，外其身而身存”；二十二章云：“不自見，故明；不自是，故彰；不自伐，故有功；不自矜，故長”；二十四章云：“自見

漢河上公老子序
五味辛甘不同期於適口麻絲涼燠不同期於
適體學術見聞不同要於適治今夫天下所以
不治者貪殘奢傲吏不能皆良民不能皆讓以
及於亂誠使不貪矣不殘矣慈儉而讓矣天下
豈有不貪不殘慈儉而讓乃有不治者乎今夫
儒者高仁義老氏不言仁義而未嘗不用仁義
儒者蹈禮法老氏不言禮法而未嘗不用禮法
道德經　河上序　三

宋蘇轍注《道德經》

者不明，自是者不彰，自伐者無功，自矜者不長”。這些都是強調對個人意志與慾望的約束和節制。本章的重點則是從個體與他者、個體與周圍環境的關係入手，論述個體健康發展的途徑以及這種發展對維護自然和諧的意義。

在一個諸侯爭霸、烽煙四起的年代裏，“知人”、“勝人”固然重要，不瞭解別人就無法戰勝別人。但從一定意義上講，能夠認識自己的缺點和長處，能夠反省自己、認識自己、戰勝自己，即做到“自知”、“自勝”似乎比前者更為重要，也更為難以做到。人往往很容易看到別人的長短優劣，卻很難認清自己。具備了自知之明的品格之後，還必須具有恒心和毅力，不斷地告誡自己、認識自己，並在具體的社會生活實踐中鍛煉自己，完善自己。“知足”“強行”，正是對這樣一種精神修養和意志品質的行為要求。孜孜以求，長期修煉，就可能達到精神生命的最高境界。“死而不亡者壽”，不朽的精神能永垂千古，這才能算是真正的長壽了。“自知”、“自勝”、“自足”、“自強”，這些古老的修身觀念至今仍不失為人們修身的重要準則。

三十四章

大道氾兮，[1]其可左右。[2]萬物恃之以生而不辭，[3]功成而不有，[4]衣養萬物而不為主，[5]（常無欲，[6]）可名於小；[7]萬物歸焉而不為主，可名為大。以其終不自為大，故能成其大。

注釋

1. 氾：同“泛”，謂水漫溢。
2. 其：指道。左右：意指（道）可以自由運動，無所阻滯。
3. 恃：倚仗。辭：眾家解說不一，或解為言詞、稱說，或解為推辭，或解為主司、主宰。二章有曰“萬物作焉而不辭”，“辭”作“司”、“主宰”解，所以應解為“主司”、“主宰”；又該句“不辭”傅奕本、敦煌本、范應元本皆作“不為始”，畢沅《老子道德經考異》以為：“古‘始’‘辭’聲同，以此致異。”因此，余培林《新譯老子讀本》又據此而以為本章之“不辭”亦當作“不為始”。“不為始”，順應自然、無為之意。
4. 此句王弼本原作“功成不名有”，易順鼎《讀老劄記》云：“《文選·辨命論》注引作‘功成而不有，愛養萬物而不為主。’按下又連引王注，則所引為王本無疑矣。今王本‘功成不名有’當作‘功成不有’，‘名’字衍。”又蔣錫昌《老子校詁》：“‘不有’二字見二章、十章、五十一章，可知二字為老子慣用之詞。‘功成不名有’當作‘功成而不有’易說是也。”
5. 衣養：養育的意思。傅奕本作“衣被”，河上公本作“愛養”。
6. 奚侗《老子集解》云：“各本‘可名於小’句上，誤贅‘常無欲’三字，誼不可通。”蔣錫昌《老子校詁》云：“‘常無欲’三字，蓋涉王注‘故天下常無欲之時’而衍。敦煌本無此三字，是也。”陳鼓應《老子譯注及評介》以為刪“常無欲”三字，從“衣養”至“可名為大”上下兩句恰成對文。故依諸家之說而刪之。

7. 名：說、稱。於：為。

串講

大“道”流行漫溢，左右上下無所不到。萬物依賴“道”而生長，它不加干預，任其自然。“道”成就了萬物而不居其功，化育萬物而不欲主宰萬物，可以稱它為“小”；但“道”之用無窮，使萬物歸附而不自以為主宰，可以稱它為“大”。正是因為“道”不自以為偉大，才最終成就了它的偉大。

評析

老子講“道”的功用，並非刻意要談“道”之玄妙，他強調的是“道”在人生層面上的意義，為人的行為提供形而上的依據。“道”生養萬物，使萬物各得其所，各取所需；“道”無所不至，又無處不在。從一定意義上講，“道”成就了萬物。然而，強大的社會功能並沒有成為“道”居功自傲的理由，相反，他沒有成為萬物的主宰，而是恬然不居於所成，完全順任自然。“萬物恃之以生而不辭，功成而不有，衣養萬物而不為主，（常無欲，）可名於小；萬物歸焉而不為主，可名為大”，高延第《老子證義》釋云：“大道廣博，無所不宜，化育萬物，來者不拒。不居其功，不為之宰。渾樸隱約，故小；萬物所宗，故大。道家以濡弱謙下為德，故不為大。天下莫與爭，故獨能成其大。”“道”泛兮而可左右，生而不辭，不名有，不為主，可小可大，不自為大。《老子》一章云：“故恒無欲，以觀其妙”，與本章所謂“(常無欲，)可名於小”含義基本相同，意思是小乃大的基始，少是多的本源。二十五章云：“吾不知其名，字之曰道，強為之名曰大。大曰逝，逝曰遠，遠曰反”，與本章所謂“萬物歸焉而不為主，可名為大”，兩個“大”字都可以作為“道”的代稱或別名。大、小的對立統一揭示出“道”無限的包容性。

在這一章裏，老子接着三十二章繼續闡釋“道”發生作用的機制、原理，並讚美其順任自然而不為主的精神。以此之道，觀照於人類自身，無疑是對人的行為提出了同樣的要求。二十五章中所謂“故道大，天大，地大，人亦大。域中有四大，而人居其一焉”，人和“道”在宇宙的背景中是相互貫通的。本章講“道”可以名為小，也可名為大，雖然沒有明確指出這是針對聖人、侯王而言，實質上是在期望社會上層統治者應該像“道”那樣，起到“功成而不有，衣養萬物而不為主”的示範作用，並將之視為自己必備的基本素養。“以其終不自為大，故能成其大”，只有這樣的社會、這樣的聖人、這樣的侯王，才會有真正光明的前景。由此而及普通平民百姓，“道”這樣的品格更不失為追求的目標。

三十五章

執大象，[1]天下往，[2]往而不害，安平太。[3]

樂與餌，[4]過客止。[5]

道之出口，[6]淡乎其無味，視之不足見，[7]聽之不足聞，用之不足既。[8]

注釋

1. 執：掌握、秉守。大象：即"大象無形"之"大象"，亦即"道"。
2. 天下：指天下之人。往：歸往、歸順。
3. 安：乃、則，連詞用法。平太：即太平，倒文以叶韻；太，同泰，安寧的意思。
4. 樂與餌：音樂和美食。
5. 過客止：過客為之而止步。
6. 出口：說出來。從"道之出口"往下各句，張舜徽先生根據帛書甲、乙本寫正為："道之出言也，淡兮其無味也，視之不足見也，聽之不足聞也，用之不可既也。"
7. 足：可，可能。
8. 既：窮盡。

串講

一國君主若能秉守"大道"，則天下之人就會嚮往歸順於他，歸順而不受侵擾，那麼天下就可以太平安康。

悅耳的音樂與可口的美食，能夠吸引過路人而為之止步。

"道"的顯現則不是這樣的，而是淡而無味的，沒有形體，不可能見到；沒有聲音，不可能聽見；但是它的功用則是無窮無盡的。

評析

本章承接上章，繼續闡釋"道"之功用和特點。"道"雖無形、無味、無聲，卻能使民安泰。"道"內涵的豐富性及其功用的廣泛性，老子書中曾做過多次描述，但各章所論角度不同，並不重複。上章講"道"可以名為小，也可名為大，"以其終不自為大，故能成其大"， 強調的是"道"在人生層面上的意義。此章則緊接着論述大"道"之所為，"執大象，天下往，往而不害，安平太"，描述了以"道"治國的繁榮、盛世景象。"道"的功能和作用既適應於修身，更適應於治國。修身之道和治國之道雖發生在不同的領域，但產生影響的根源均來自於"道"深刻、豐富的內涵。

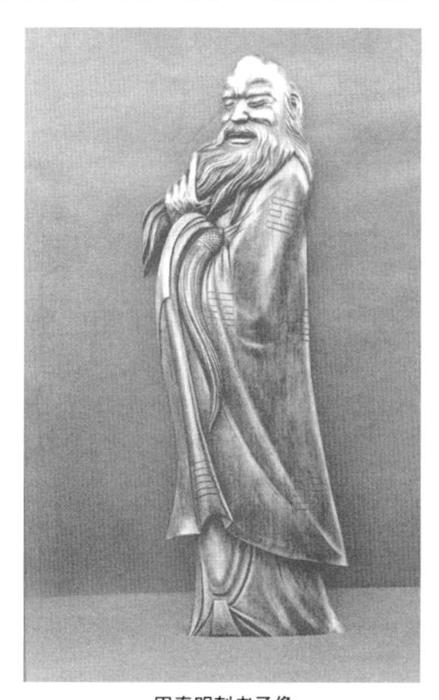

田春明刻老子像

老子將"樂與餌"同"道"做了特性與功能的對比，更為形象地顯示出"道""用之不足既"的特性。"樂與餌，過客止"，蔣錫昌釋云："十二章，'五音令人耳聾，五味令人口爽'。'樂'即'五音'，

'餌'即'五味'。此言五音與五味，雖使過客止而貪之，然其結果必至耳聾口爽，故終不若守道之可以久也。此誼須與十二章及下文合看，方能全明。"陸希聲亦云："夫樂可以悅耳，餌可以適口，則旅人為之留連，為之歡饜，然非其所安，不可久處；故《易》曰：'鳥焚其巢，旅人先笑後號咷'也。夫執大象者則不然，不以慾樂示於人，故言之出口，淡乎其無味，散之人心，泊乎其不美，希乎夷乎，雖不足以視聽，然用之不窮，酌之不竭，彌乎千萬年，而不可以既。"陳鼓應先生作進一步引申解釋云："仁義禮法之治有如'樂與餌'，不如行守自然無為的'大道'——雖然無形無跡，但能使人民平居安泰。"音樂和美食皆世人所好，能讓路過的人駐足不前，流連忘返。與之相比，"道"卻索然無味，既看不到他的外形，也聽不見他的聲音。然而，二者功能上的差異極為懸殊，"樂與餌"也許能滿足人們一時之所好，"道"的作用和影響卻是取之不盡，用之不竭。

三十六章

將欲歙之，[1]必固張之；[2]將欲弱之，必固強之；將欲廢之，必固舉之；[3]將欲奪之，[4]必固與之。是謂微明，[5]柔弱勝剛強。

魚不可脫於淵，[6]國之利器不可以示人。[7]

注釋

1. 歙：收斂。"歙"字，《韓非子》引作"翕"，河上公本作"噏"，三字音同通用。
2. 固：暫且。也有注家解作"姑且"之"姑"，或者解作"故意"之"故"，或者解作"定"。張：擴張。
3. 舉之：王弼本作"興之"。
4. 奪之：《韓非子・喻老》、《史記・管晏列傳》索引並引作"取之"，范應元本亦作"取之"。
5. 是：這。微明：微而顯，指事物之盈虛盛衰，雖極幽微難測，但其理則甚明，就是"柔弱勝剛強"。
6. 脫：離開。淵：水潭。
7. 利器：喻權力。也有解作賞罰的。示：炫耀。

串講

要想收斂它，暫且先讓它擴張；要想削弱它，暫且先讓它堅強；要想廢止它，暫且先興舉它；要想奪取它，暫且先給與它。事物之盈虛盛衰的道理看似幽微難測，但其理則甚明，即

“柔弱勝剛強”。

魚不能離開深淵，若離開深淵必定死亡，國家的權力不可以炫耀， 若炫耀於人則必定國亡身死。

評析

本章通過強弱、興廢之間相互轉化關係的展示，提出“柔弱勝剛強”的政治權術原則。前八句，老子列舉了合與張、強與弱、奪與與、廢與興對立統一、相互轉化的實際例證，認為事物總是處於一種不斷對立轉化的狀態中，任何事物發展到一定程度必然會向他相反的方向轉化，這種極其深刻的辯證法思想老子稱之為“微明”。“柔弱勝剛強”，正是“微明”這一原理的生動體現。外表剛毅強大，由於他張揚外顯，往往會因過分顯露而遭遇挫折，錯過發展機遇，失去發展前景。外表柔弱的事物，由於他含藏內斂，不鋒芒顯露而富於韌性，往往能把握機遇，顯示出旺盛的生機和廣闊的發展前景。因此，老子斷言“柔弱勝剛強”。

“柔弱勝剛強”擴展、運用到政治領域就成為政治權術的一條重要原則。所謂“國之利器不可以示人”就是這一原則的運用。陳鼓應《老子注譯及評介》云：“‘國之利器，不可以示人’，是說權勢禁令都是凶利之器，不可以用來耀示威脅人民。王弼說：‘示人者，任刑也。’如果統治者只知用嚴刑峻法來制裁人民，就是用利器示人了。這就是‘剛強’的表現。而逞強恃暴是不會持久的。”黃瑞雲認為陳說曲解老子原意，並指出“老子之意謂，賞罰、籌謀之類是統治者的權力，未發之前必須隱藏於心，不要輕易示人，以免他人利用，如魚不可脫出水潭，離水即失去生機。”又說“老子主張‘柔弱勝剛強’，目的還在於‘勝’，只是以柔弱的方式勝之而已。”這一見解頗有見地，下引韓非語正與這一思想切合。《韓非子·喻老篇》云：“勢重者，人君之淵也。君人者勢重於人臣之間，失則不可復得也。簡公失之於田成，晉公失之於六卿，而邦亡身死。故曰：‘魚不可脫於深淵。’賞罰者，邦之利器也，在君則制臣，在臣則勝君。君見賞，臣則損之以為德；君見罰，臣則益之以為威。人君見賞而人臣用其勢；人君見罰而人臣乘其威。故曰：‘邦之利器，不可以示人。’”又云：“越王入宦於吳，而勸之伐齊以弊吳。吳兵既勝齊人於艾陵，張之於江濟，強之於黃池，故可制於五湖。故曰：‘將欲翕之，必固張之；將欲弱之，必固強之。’晉獻公將欲襲虞，遺之以璧馬；知伯將襲仇由，遺之以廣車。故曰‘將欲取之，必固與之。’起事於無形，而要大功於天下，是謂微明。處小弱而重自卑，謂損弱勝強也。”韓非此解確可作為本章的恰當解釋。

三十七章

道常無為而無不為。[1]侯王若能守之，[2]萬物將自化。[3]化而欲作，[4]吾將鎮之以無名之樸。[5]鎮之以無名之樸，[6]夫亦將不欲。[7]不欲以靜，[8]天下將自定。[9]

注釋

1. 常：總是，永遠。此句帛書甲、乙本並作“道恒無名”。
2. 侯王：指當權執政者。守之：守道，亦即遵循“無為而無不為”的原則。
3. 自化：自生自長，順本性發展。
4. 欲作：私慾萌生。
5. 鎮：遏止、鎮服。無名之樸：道之別稱。三十二章有云“道常無名樸”。
6. 此句王弼本無“鎮之以”三字，帛書乙本有之，高亨《老子正詁》云：“疑此文當作‘吾將鎮之以無名之樸。鎮之以無名之樸，夫亦將無慾。’轉寫挩去‘鎮之’二字耳。”張松如《老子校讀》云：“今驗之帛書，高氏《正詁》完全說對了。”
7. 夫：彼，具體指有私慾者。將：當，就。“不欲”，王弼本、河上公本作“無欲”，帛書甲乙本、傅奕本、景龍碑本、范應元本俱作“不欲”。下句曰“不欲以靜”，故本句作“不欲”為是。
8. 以：猶而、則。
9. 定：安定。“自定”帛書甲乙本、傅奕本、景龍碑本等作“自正”。

串講

“道”永遠順任萬物自然而無所作為，但是世間又沒有什麼事情不是它所成全、作為的。治理國家的人若能夠遵循“無為而無不為”的原則，那麼世間萬物將循本性而生長。但在此過程中，會有私慾萌生。到那時就要用質樸的“道”來遏制私慾。用“道”來遏制私慾，有私慾者就不會再有私慾。沒有私慾則趨於平靜，天下自然就會安定。

評析

“無為而無不為”是老子哲學的重要命題。第三十二章“天地相合，以降甘露，民莫之令而自均”；第五十七章“我無為而民自化，我好靜而民自正，我無事而民自富，我無欲而民自樸”；第六十四章“以輔萬物之自然而不敢為”，都是從不同角度對“無為而無不為”的表述。本章將“無為”思想引入人事和政治，並從“樸”、“不欲”、“靜”等方面揭示出“無為”的內涵。治國、治家者當以“無為”為本，順任萬事萬物自由發展，自生自長，不加任何干涉。然而，自由發展的過程必然會滋生各種慾念，一旦貪慾萌生，切不可採用暴力的形式，而要用純樸和無慾去教化，要“鎮之以無名之樸”，即要用“無名之樸”的“道”來救治，從而歸於安靜，天下太平。在老子看來，“樸”是通向“無為”之境的一條重要而有效的途徑。

蘇轍云：“道常者無所不為而無為之之意耳。聖人以無為化物，萬物化之。始自無為而漸至於作，譬如嬰兒之長，人偽日滋。故三代之衰，人情之變，日以滋甚，方其慾作，而上之人與天下皆靡，故其變至有不可勝言者。苟其方作而不為之動，終以無名之樸鎮之，庶幾可得而止也。”老子嚮往遠古時代無為之治的理想社會，隨着社會的發展，民風日變，人與人之間爾虞我詐，崇尚無為之風氣漸漸被“有為”思想所取代，至老子之時，人的性情已完全背離了正常發展的軌道，私慾膨脹，物慾橫流，老子在表示深深憂慮的同時，指出“鎮之以無名之樸”的解救辦法。這裏的“樸”、“不欲”、“靜”不僅僅體現為“道”不同層次的內涵，更體現為“道”在事物發展過程不同階段所起到的不同作用，體現為社會政治運行應該遵循的內在邏輯規律。本章從“萬物將自化”到“鎮之以無名之樸，夫亦將不欲”，再到“不欲以靜”，最終目的是“天下將自定”，這是理想政治發生的完整形態。正是“無為而無不為”的道，才能成全侯王的政治理想，建立理想社會。

三十八章

上德不德，[1]是以有德；下德不失德，[2]是以無德。上德無為而無以為，[3]下德無為而有以為。[4]上仁為之而無以為，上義為之而有以為。上禮為之而莫之應，[5]則攘臂而扔之。[6]

故失道而後德，失德而後仁，失仁而後義，失義而後禮。夫禮者，忠信之薄，[7]而亂之首。[8]前識者，[9]道之華，[10]而愚之始。[11]

是以大丈夫處其厚，[12]不居其薄；[13]處其實，[14]不居其華。故去彼取此。[15]

注釋

1. 上德：最高境界的"德"，亦可解作具有至高至上德行的國君（人）。下文"上仁"、"上義"、"上禮"同此例。不德：指順應自然，體道而行，不刻意求"德"。解作"不自以為有德"亦可。
2. 下德：指處處有心求"德"者。
3. 以：因，憑藉。無以為：指無心作為，尤指不有意表現。"無以為"《韓非子．解老》、《文選．魏都賦》注引為"無不為"，傅奕本、嚴遵本、范應元本亦作"無不為"。
4. "無為"王弼本、范應元本作"為之"。有以為：有心作為，"有以為"范應元本作"無以為"。
5. 莫之應：得不到響應。
6. 攘臂而扔之：伸出手臂強迫拽人就範於禮。攘臂，捲起袖子，伸出賂賻；扔，強力拉扯。

7. 薄：澆薄，不足。

8. 亂之首：禍亂的開始。首，訓始。

9. 前識者：自以為先知先見之人，亦即“自是”者。

10. 華：虛華，表面，與“實”相對。

11. 愚：愚昧，或解作邪偽。

12. 大丈夫：指得道者。處其厚：立身處世敦厚淳樸。

13. 薄：同於“忠信之薄”之“薄”，指“禮”。

14. 實：指“道”。

15. 彼：指“薄”、“華”。此：指“厚”、“實”。

串講

最高境界的“德”，不刻意求“德”反而有“德”，低境界的“德”，處處有心求“德”反而沒有“德”。上德之人順應自然而不刻意表現，下德之人順應自然而有心表現，上仁之人要有所作為而皆發於內心，上義之人要有所作為而出於有心。上禮之人要是有所作為卻得不到回應，就會伸出手臂強迫拽人就範於禮。

所以“道”失去了而後才有“德”，“德”失去了而後才有“仁”，“仁”失去了而後才有“義”，“義”失去了而後才有“禮”。“禮”，是忠信不足的產物，是禍亂的開端。自以為有先見之明的人，是“大道”的表面，是愚昧的根源。

所以得“道”者，立身處世敦厚淳樸，而不重視禮節；以守“道”為務，而不任用表面的巧智，所以捨棄虛華而取敦厚淳樸。

評析

本章上承“無為而無不為”思想，將人分為“上德”、“下德”、“上仁”、“上義”、“上禮”五個不同層次。“道”是客觀存在，自然法則，“德”是“道”的體現。“上德”是最高的德，即道體的顯現。“上禮”是五個層次中最低的境界，“夫禮者，忠信之薄，而亂之首”，表現出老子對“禮”的貶斥和批評。黃瑞雲《老子本原》對以上五個層次的解析頗為清晰：“上德無為而無以為”，任其自然，具有絕對的自由；“下德為之而有不為”，為之而有所不為，有自己可以控制的自由；“上仁為之而無以為”，無所因而為之，為之而不受客觀

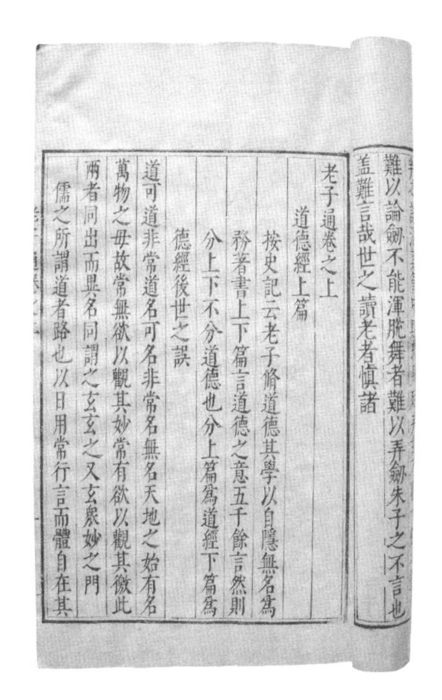

難以論劍不能渾脫舞者難以弄劍朱子之不言也
蓋難言哉世之讀老者慎諸

老子通卷之上
道德經上篇
按史記云老子脩道德其學以自隱無名爲
務著書上下篇言道德之意五千餘言然則
分上下不分道德也分上篇爲道經下篇爲
德經後世之誤
道可道非常道名可名非常名無名天地之始有名
萬物之母故常無欲以觀其妙常有欲以觀其徼此
兩者同出而異名同謂之玄玄之又玄衆妙之門
儒之所謂道者路也以日用常行言而體自在其

明沈一貫通解《老子通》(明萬曆二十七年刊本)

限制；“上義為之而有以為”，有所因而為之，為之而且受客觀控制；“上禮為之而莫之應，則攘臂而扔之”，為之而且強使他人為之。“故失道而後德”以下四句，與以上五個層次相呼應，是對五個層次的進一步闡釋和總結，同時也清晰地表明“道”同這五個層次之間的關係。這一關係的揭示表達出老子強烈的憂患意識。“德”者，“道”之功。體道之人，謂之有“德”。由“上德”至“上禮”的嬗變，五個層次相因而遞生，越來越脫離了“道”的質樸而趨於禮的文華，這是一種極其可怕和令人擔憂的現實。當人之所為終於墮落到“忠信之薄而亂之首”的“禮”的地步時，人的內在精神實際上已經完全崩潰，社會也必然陷於紛亂了。

對禮的否定，自然要引申出對舉禮者的批判。老子所謂“前識者”就是這樣一種禮的堅守者。《韓非子・解老篇》云：“先物行，先理動，謂之前識。前識者，無緣而妄意度者也。”在這些“前識者”手裏，“禮”事實上已經變成了他們爭奪名利的工具了。奚侗《老子集解》引吳澂《道德經注》云：“禮之後言前識，以智為下也。其以厚薄華實為言，蓋猶木之實，生理在中，胚胎未露。既生之後，則德其根，仁其幹，義其枝，禮其葉，而智其華也。道實智華，實實而華虛；德根禮葉，根厚而葉薄。故曰：禮者忠信之薄，前識者道之華，而大丈夫寧守此道德之厚實，而去彼禮智之華薄也。”對“禮”的摒棄，同時也意味着對“道”的嚮往。

三十九章

昔之得一者，[1]天得一以清，[2]地得一以寧，[3]神得一以靈，谷得一以盈，[4]萬物得一以生，[5]侯王得一以為天下貞。[6]

其致之也，[7]天無以清將恐裂，[8]地無以寧將恐發[9]，神無以靈將恐歇，[10]谷無以盈將恐竭，萬物無以生將恐滅，侯王無以為貞將恐蹶。[11]

故貴以賤為本，[12]高以下為基[13]。是以侯王自謂孤、寡、不穀，[14]此非以賤為本邪？非乎？故至譽無譽。[15]不欲琭琭如玉，[16]珞珞如石。[17]

注釋

1. 昔：往昔，自古以來。得一：得道。一，"道"之別名。
2. 清：清明。
3. 寧：穩定、安穩。
4. 谷：河川。盈：充盈，滿。
5. 生：滋生繁殖。
6. 貞：正，準則，楷模。帛書乙本、河上公本、景龍碑本、嚴遵本等俱作"正"。
7. 致：至於，招致，推而言之。馬敘倫《老子校詁》認為此句為古注竄入正文。又，舊注本皆認為此句為總束上文，高亨《老子正詁》則云："致，猶推也，推而言之如下文也。"依高說，則此句為開啟下文，今從高說。

8. 裂：崩裂。

9. 發：同“廢”，傾毀之意。任繼愈《老子新譯》解“發”為震動、波動；黃瑞雲《老子本原》則解為動、爆發。

10. 歇：停歇、消失。

11. 蹶：顛仆、垮台失位。此句王弼本作“侯王無以貴高將恐蹶”，此據范應元《老子道德經古本集注》而改。黃瑞雲《老子本原》云：“以前文例之，當作‘為貞’。由於下文‘故貴以賤為本，高以下為基’，作注者發現上下文意不連貫，乃改‘為貞’為‘貴高’，以與下文‘貴’與‘高’關聯，其改易之跡甚明。然改易之後，破壞了上文的整體結構，更違背了老子原意。老子要侯王為天下貞，非要侯王自命‘貴高’，且與下文仍無法唧接。”

12. 故，發語詞，同於“夫”。本：根本。

13. 基：基礎。

14. 不穀：穀，善；不穀，不善，亦即不善之人。“孤”、“寡”、“不穀”均是侯王的謙稱。

15. 至譽無譽：至，通“致”，求的意思，意謂如果一味地去追求榮譽，則反而得不到榮譽。《莊子．至樂》篇云：“故曰：至樂無樂，至譽無譽”。此句王弼本作“致數輿無輿”，傅奕本、范應元本均作“譽”。高延第《老子證義》云：“‘至譽無譽’，河上公本作‘致數車無車’，王弼本、《淮南子．道應訓》作‘致數輿無輿’，各為曲說，與本文誼不相附。”

16. 不欲：不願、不要。琭琭：形容玉美。此句帛書本作“是故不欲琭琭如玉”。

17. 珞珞：形容石塊的堅硬。

串講

自古以來，能得到“道”的：天得到“道”則清明，地得到“道”則安定，神得到“道”則虛靈，河川得到“道”則充盈，萬物得到“道”則滋生繁殖，侯王得到“道”則有準則。

推而言之，天不能清明，恐怕就要崩裂；地不能安定，恐怕就要傾毀；神不能虛靈，恐怕就要停歇；河川不能充盈，恐怕就要枯竭；萬物不能滋生繁殖，恐怕就要滅絕；侯王不能有準則，恐怕就要垮台失位。

貴以賤為根本，高以下為基礎。所以侯王們自稱“孤”、“寡”、“不穀”，這難道不是以賤為根本嗎？難道不是嗎？所以世上最高的稱譽就是沒有稱譽。所以不願做華美的珠玉，而要像堅硬的石頭一樣。

評析

在老子書中，“道”有諸多別名，本章以“一”為“道”之別名，顯然是為了強調“一”的特性和重要性。對“一”的理解是把握本章主旨的關鍵。《淮南子·詮言訓》云：“一也者，萬物之本也，無敵之道也。”《淮南子·原道訓》云：“所謂一者，無匹合於天下者也。卓然獨立，塊然獨處，大渾而為一，葉纍而無根；懷囊天地，為道關門，穆忞隱閔，純德獨存；佈施而不既，用之而不勤；是故視之不見其形，聽之不聞其聲，循之不得其身；無形而有形生焉，無聲而五音鳴焉，無味而五味形焉，無色而五色成焉。是故有生於無，實出於虛。天下為之圈，則名實同君。”王弼注：“一，數之始而物之極也。”張舜徽《老子疏證》云：“《老子》云‘得一’，《莊子》則云‘無為’，可知古人所謂‘一’，即指‘無為’，無為即靜。其意以為天地惟能靜，故化育萬物；人主惟能靜，故治理萬事。所謂‘道法自然’，意即在是。”古今注家雖然表述不同，但對“一”內涵的理解基本一致。概括地說，“一”強調的是統一，是原始，是本源。本章連續七次使用“一”字，無一不是在強調宇宙萬物都是以“一”為本源，是構成萬事萬物最基本、最重要、最容易被人所忽略的因素。再從反面進一步闡明不得“一”的嚴重後果。

“一”的重要性由天道而及人道，重點落在侯王。“一”的內涵由抽象進一步具象化。“故貴以賤為本，高以下為基”，相對於“貴”和“高”而言，“賤”和“下”與之既對立又統一，任何一方都以自己的對立面的存在為前提。認識不到“賤”和“下”存在的意義，“貴”和“高”也必然不復存在。因此，侯王自當以“處下”、“居後”、“謙卑”為懷，正所謂“不欲琭琭如玉，珞珞如石”。

四十章

反者道之動，[1]弱者道之用。[2]天下萬物生於有，[3]有生於無。[4]

注釋

1. 反：同於“返”，有兩種含義，一指相反、對立面，即指道向相反的對立面方向轉化運動；二指返回、循環，即“道”的循環往復、返本復初的運動規律。動：運動。
2. 弱：柔弱。用：作用、運用。此句講道體虛無，故以柔弱的特點發揮作用。
3. 有：同於首章“有，名萬物之母”之“有”，指“道”之最初生成物（因為無以名之，乃名為“有”）。
4. 無：同於首章“無，名天地之始”之“無”，指“道”之本體。

串講

“道”的運動是循環往復的，道體虛無，故以柔弱的特點發揮作用，天下萬物生於“道”的最初生成物，而“道”的最初生成物則生於無形體的“道”。

評析

本章是對“道”的存在狀態和地位的總結。“反者道之動”是老子書中最為重要的哲學命題。錢鍾書說：“一語中包賅反正之動為反與夫反反之動而合於正為反，於反為違反，於正為回返。此五言約辨證之理，與黑格爾‘否定之否定’，理無二致也。”又說：“黑格爾曰矛盾乃一切事物之究竟動力與生機；曰辯證法可象以圜形，端末銜接，其往亦即其還；曰道真見諸反覆而反復；曰思維運行如圜之旋。數十萬言均《老子》一句之衍義。”黃瑞雲《老子本原》將此作為“老子‘道’之總綱”。可見本章在老子哲學中的重要地位以及在中國哲學史上的重要影響。

老子在承認事物運動變化的前提下，進一步揭示了萬事萬物運動變化的總規律。一方面，任何事物都包含着相反相成的兩個方面，矛盾對立的雙方相互作用、相互影響，推動事物的運動、變化和發展；另一方面，事物在運動變化中總是向着自己對立的方向發展，最終又會回歸到原初的基本狀態。將“反”理解為事物向自己的對立面轉化或事物的發展總要返回到原來基始的狀態，都不違背老子原意。如果我們將事物的發展不局限於某一特定的階段，“反”和“返”恰恰表明事物運動變化的階段性和統一性。“反”是狀態，是途徑，“返”是結果，是歸屬。“反者道之動”則是老子對宇宙、人生運行規律的概括，同時也是對道體特性的描述和對人終極價值取向的揭示。“弱者道之用”體現為道的另一個重要特點，是對“反者道之動”這一事物運動變化總規律的具體運用，是對老子一貫主張的居柔、守弱原則方法的總結。末句“天下萬物生於有，有生於無”則可視為對全章主旨的總結與發揮。

四十一章

上士聞道，[1]勤而行之；[2]中士聞道，若存若亡；[3]下士聞道，大笑之，[4]不笑不足以為道。

故建言有之：[5]明道若昧，[6]進道若退，夷道若纇，[7]上德若谷，[8]大白若辱，[9]廣德若不足，[10]建德若偷，[11]質真若渝；[12]大方無隅，[13]大器晚成，[14]大音希聲，[15]大象無形。[16]

道隱無名。[17]夫唯道，善貸且成。[18]

注釋

1. 上士：士指古代的知識分子，根據對"道"的領悟深淺程度，分為上、中、下三種類型。
2. 勤：勤奮、積極。行：實行。
3. 若存若亡：將信將疑，取捨不定。或解作若有若無，即意謂"中士"見"道"不明，聞"道"後心有所疑，覺"道"似有似無。
4. 大：空洞而不切實。之：指"道"。有其他版本作"大而笑之"。並云："王本作'大笑之'，從王念孫《讀書雜志》改。王氏之言曰：'大笑之'，本作'大而笑之'，猶言迂而笑之也。《牟子》引《老子》，正作'大而笑之'。《抱朴子．微旨篇》亦云'大而笑之'。"
5. 建言：立言，格言，亦可解作成語。或以為"建言"為古代書名，但是《老子》中從未徵引過古書，所以此說恐難以成立。
6. 昧：暗。
7. 夷：平坦。纇：崎嶇而不平坦。
8. 谷：溪谷。此處喻處卑居下，虛懷若谷。

9. 辱：黑，與“白”對應。

10. 廣：廣博。“廣德”《莊子》、《列子》並引作“盛德”。

11. 建：通“健”，剛健之意。偷：鬆懈、怠惰。

12. 真：淳真。渝：改變。

13. 隅：角，棱角。

14. 晚：歷來注家皆解為“早晚”之“晚”，而準確意旨應訓為“無”、“免”。帛書甲乙本此句正作“大器免成”。又《說文》：“晚，莫也。”段注“莫”：“引申為有無之無。”

15. 希聲：無聲。“希”同於二十三章“希言”之“希”。

16. 大象：最大的形象，指“道”。

17. 無名：不炫耀顯揚。黃瑞雲《老子本原》云：“注家都釋‘名’為名稱，非是。道幽隱而不外炫，正是建言十二個命題的總括。若謂道無名稱，則文意不夠連貫，既已有‘道’之名，還說沒有名稱，則自相矛盾。”其說可從。

18. 貸：施與。成：終，有始有終。此句帛書乙本作“善始且善成”，范應元本作“善貸且善成”，黃瑞雲《老子本原》引王弼注“無物而不濟其形，是曰善成”，以為王弼本原亦作“善貸且善成”。

串講

上士聽說了“道”，明白“道”的真實而偉大，勤奮積極地去實行；中士聽說了“道”，心有所疑，感覺“道”似有似無；下士聽說了“道”，認為“道”空洞而不切實，所以便大笑起來。正是下士的嘲笑才顯示出“道”的高深，不被嘲笑就不能被稱為“道”了。

所以，古代的格言說過：光明的“道”好似昏昧，進取的“道”好似退後，平坦的“道”好似崎嶇。最高的德行好似處卑居下的溪谷，最潔白的事物好似烏黑，廣博的德行好似不足，剛健的德行好似怠惰，淳真的德行好似混濁；最方正的事物反而沒有棱角，最貴重的器物反而沒有固定的形狀，最大的聲響反而聽不見，最大的形象反而看不見。

“道”雖然隱微而從不炫耀顯揚，但是只有“道”善於創造萬物，又能成就萬物，讓萬物善始善終。

評析

本章從三種士人對“道”的不同態度出發，論述了“道”與“德”在本體與現象之間存在的矛盾，說明“道”與“德”的無限性、超感官經驗性的本質特徵，進而說明“道”在萬物的生成、變化過程中的決定性作用。老子根據對“道”領悟的深淺程度，將士人劃分為上、中、下三品，描述了他們聞道後的不同反應，對“道”的不同態度：上士聞而行之，中士聞而疑之，下士聞而笑之，以此說明“道”的“惟惚惟恍”（二十一章）、“淵兮，似萬物之宗”、“湛兮，似或存”（四章）的玄妙難識、只能體悟和無法言說的特性。

“建言”即古代的格言、成語。老子在這裏引用了十二句古已有之的古語，說明“道”與“德”在本體與現象之間存在的矛盾。“道”與“德”的本體與其現象恰好相反：清湛的“道”反似暗昧，前行的“道”反似後退，平坦的“道”反似崎嶇，崇高的“德”反似低下的山谷，最潔白的反似含垢，盛大之“德”反似不足，剛健之“德”反似怠惰、質樸淳真反似污濁，最方正的反無棱角，最貴重的無法完成，最大的樂聲反無音響，最大的形象反而無形。老子認為“失道而後德”、“上德不德”（三十八章），“道”與“德”一樣，都具有同樣的本質特徵：無形可顯，無音可聽，無象可觀，具有超乎感官功能之外的無限性。當一種事物具有無限性，視之不見，聽之不聞，觸之不得，撲朔迷離，變化無方，深不可測，要渺難識，超越了人的感官能力，則此事物便呈現出不確定性，甚至轉化為常識和觀念的對立面。在這種不確定性的作用下，日常經驗失去了效用，明與暗、進與退、夷與纇不再具有對應性，白與黑、多與少、剛健與怠墮、淳真與污濁等概念也失去了意義。"玄德深矣遠矣，與物反矣，然後乃至大順"（六十五章），這種具有無限性的"道"與"德"超越了人的感官經驗和一般的社會價值，當然也就不被人們理解和接受，"俗人昭昭，我獨昏昏；俗人察察，我獨悶悶"（二十章），受到"下士"的嘲笑也就不足為怪了。

"道隱無名"是對上文的總括。"隱"是"道"的最大特徵，"視之不見，聽之不聞，搏之不得，迎之不見其首，隨之不見其後"（十四章），"道"具有深邃、內斂、含藏、沖虛的特性。"隱"的特徵決定了"道"必然是"無名"的，只能描述和形容它，而不能用明確的概念來界定它。"道"作為具體事物存在的依據，規定了萬物的存在狀態，其本身隱藏於具體的"有"的後面，表現為無法用任何具體形態來規定，無法用任何日常語言來言說的"無"。"無"雖然通過"有"顯現自身，但"無"是具有無限性的，是超越了具體的"有"的，是無法依靠具體的"有"來把握的。"道"雖隱而不顯，難於命名，卻是天地萬物的主導，隱於天地萬物之中，決定着它們的創生和發展。"道"作為"無"，是天地萬有存在的根據和原因，是存在背後的存在。"善貸且成"正說明了"道"作用於萬物的功能，對萬物的生成、變化、發展起着決定性的作用。

四十二章

道生一，[1]一生二，[2]二生三，[3]三生萬物。萬物負陰而抱陽，[4]沖氣以為和。[5]

人之所惡，[6]唯孤、寡、不穀，[7]而王公以為稱。故物或損之而益，[8]或益之而損。人之所教，我亦教之：[9]"強梁者不得其死"，[10]吾將以為教父。[11]

注釋

1. 一：指天地未分時原初混沌的元氣，為"道"之最初生成物。
2. 二：指陰陽二氣。
3. 三：指陰陽二氣交合而形成的"和氣"。又解為陰陽合和而生成的一種均衡和諧的狀態。
4. 負陰而抱陽：背陰而向陽，指天下萬物都有陰陽兩面。
5. 沖：《說文》釋曰："湧，搖也"，亦即交沖，激盪之意。沖氣，即指陰陽二氣相互激盪。和：即和氣。全句言陰陽二氣相互激盪而產生"和氣"。"沖氣"帛書甲本作"中氣"。
6. 惡：憎惡，厭惡。從本句往下至"吾將以為教父"一段文字，高亨、陳柱、嚴靈峰、陳鼓應諸家皆以為與上一段文義不相屬，疑為係三十九章文字錯簡竄入。
7. 孤、寡、不穀：均為先秦時期統治者的謙稱。
8. 損：減損。益：增益。
9. 這兩句中的"所教"和"教之"，皆指下句"強梁者不得其死"。
10. 強梁：強橫霸道。不得其死：不得善終。
11. 教父：為教之本，施教之本。父，本也。

串講

“道”是獨一無二的。“道”產生原始混沌的元氣，這種元氣本身包含着陰陽二氣，陰陽二氣相互交合，產生均勻和諧的沖虛和氣，這種沖虛和氣便生出了天地萬物。天地萬物背陰而向陽，都有陰陽兩面，陰陽二氣相互激盪而產生和氣。

人們所厭惡的，就是“孤”、“寡”、“不穀”，但是王公卻用這些字眼來稱呼自己。所以，事物表面上看來減損而實際上卻是增益，表面上增益而實際上卻是減損。人們這樣教導我，我也這樣教導別人：“強橫霸道，則不得善終。我將把它當作施行教育的根本。”

評析

本章分前後兩個段落：前段講“道生萬物”的過程，對宇宙萬物的生成、進化過程做了抽象化、模式化的概括和表述，說明世界萬物是由原初狀態的混沌之氣，逐步演化發展為複雜繁多的有序存在形式；後段由論天道轉而論人事，主張以天道為法，以損道為吉，柔謙自守，無為而治。古今注家多認為全章前後文義各不相屬，後段疑是他章錯簡。

“道生一，一生二，二生三，三生萬物”是老子對宇宙萬物生成過程的概括性的模式化表述，是老子對宇宙生成問題提出的具有抽象思辯性的理論假說。這一假說描述了“道”創生萬物的過程，表明宇宙萬物的發展、進化是一個由原初狀態的混沌元氣，逐步由少到多，由簡單到複雜，由抽象到具體的不斷分化的量變過程。而推動、促進這個量變進程的，是以“道”為基礎，普遍存在於萬物之中的陰、陽兩個對立統一體之間的互相作用和影響。陰陽二氣相互激盪，其結果是“和氣”的產生。所謂“和氣”，是陰陽和合而形成的均衡和諧的狀態，是調和了陰陽矛盾的和諧體，天地萬物便由此生成、顯現。如《莊子·田子方》所說“至陰肅肅，至陽赫赫，肅肅出乎天，赫赫出乎地，兩者交通成和而物生焉。”

老子在二十五章中提出“人法地，地法天，天法道，道法自然”，貫通天道與人事，主張人類應以天道為法，調整自己的行為。在七十七章中提出“天之道，其猶張弓與？高者抑之，下者舉之，有餘者損之，不足者補之。天之道損有餘而補不足”，以此與“損不足以奉有餘”的“人之道”對比，表現了老子的社會政治思想。老子以為“物或損之而益，或益之而損”，雖為天道而通乎人事，貴為王公者以孤、寡、不轂自謙，以損道為吉，謙柔自守，無為而治，則和順安泰，國富民安。反之，若一味求益，失柔謙之德，以強暴和權勢以凌人，則必致“亢龍有悔”，陰陽失和，不得善終。

四十三章

天下之至柔，[1]馳騁天下之至堅。[2]無有入無間，[3]吾是以知無為之有益。

不言之教，[4]無為之益，天下希及之。[5]

注釋

1. 至柔：最為柔弱的，亦即道。
2. 馳騁：本義指馬的快速奔走，這裏指驅使，駕馭。
3. 無有：不見形跡的東西，這裏指"天下之至柔"。無間：沒有間隙的東西，這裏指"天下之至堅"。此句傅奕本、范應元本作"出於無有，入於無間"。
4. 黃瑞雲《老子本原》云此句"教"與下句"益"互文。
5. 希：通"稀"，稀少，罕見。

串講

天下最柔軟的東西，能夠駕馭天下最堅硬的東西。不見形跡的"道"是最柔弱的，卻能夠進入沒有間隙的至堅之物。我因此而知道清靜無為的益處。

不言的教誨，清靜無為的益處，天下很少有人懂得，也很少有人做到。

評析

本章從自然界普遍存在的柔弱克剛強的現象出發，指出

“無為”的重要性；又由此強調人類社會當以自然為法，以“無為”作為個人處世和社會治理的普遍原則。

自然界的柔弱之物如水，無形跡之物如氣與光，卻因其不拘常形，隨物賦形，變化無方，具有着強大的力量，可以貫穿金石，無所不通，無所不至，無物不克。老子從這些普遍存在的自然現象出發，進而指出“無為”的重要性：“無為”並非無所作為，而是處於一種不加修飾與雕琢的原生態的柔弱、無定型狀態。在這種狀態下，事物不拘執於一端，而是變化無方，留有迴旋餘地，從而具有無限的可能性。“無為”是手段、方法，“無不為”才是目的和結果。如老子在七十八章中所言：“天下莫柔弱於水，而攻堅強者莫之能勝，以其無以易之。弱之勝強，柔之勝剛，天下莫不知，莫能行。”在七十六章中說：“人之生也柔弱，其死也堅強。草木之生也柔弱，其死也枯槁。故堅強者死之徒，柔弱者生之徒。是以兵強則不勝，木強則兵。強大處下，柔弱處上。”

論證“無為”在自然界中的重要意義並非是老子的實際目的，老子是從自然之理為起點，論證“無為”在人類社會生活中的重要意義。老子強調人類社會當以自然為法，充分認識“無為”之重要，並以此作為個人處世和社會治理的普遍原則。對個人而言，秉持無為之道可以在紛繁複雜的社會中化解矛盾和衝突，優遊世界，暢達無礙。從社會治理的角度看，不言之教、無為之治合於天道，“輔萬物之自然”、“善利萬物而莫爭”，使社會成員各得其所，天下太平，和睦有序。這一重要而簡單的道理卻不為世人所認識，甚至遭到誤解和攻擊，故老子深有感慨，感歎世人“希及之”。

四十四章

名與身孰親？[1] 身與貨孰多？[2] 得與亡孰病？[3]

是故甚愛必大費，[4] 多藏必厚亡。[5]

知足不辱，[6] 知止不殆，[7] 可以長久。

注釋

1. 名：聲名。身：身體，性命。親：親近，可愛。
2. 貨：財貨。多：看重、重視的意思。
3. 得：得名得利。亡：損害、亡身之意。病：有害。
4. 是故：所以。甚愛：過於吝惜；愛：此處作吝惜解。費：耗損，破費。
5. 藏：謂貯藏財貨。厚亡：損失慘重。
6. 本句帛書甲本作"是故知足不辱"。
7. 殆：危險。

串講

聲名與性命相比較哪一個更親近？性命與財貨相比較哪一個更受重視？得名得利與損害性命相比較，哪個更有害？

所以過於吝惜就會有所損耗，過多聚斂財貨就會損失慘重。

知道滿足的人不會遭受侮辱，知道適可而止的人不會遭遇危險，只有這樣，才可以平安長久。

評析

本章是老子的養生論，反映了老子的貴生思想，意在喚醒世人，從名利羈絆中解脫出來，超越“物”的追求，以保持人的自然本性，維護生命的尊嚴與價值，達到全生盡年的目的。以設問句開頭，顯然是一種“無疑而問”，是老子針對世人多輕身以殉名利，貪得而不顧危亡的現象而發出的勸警之問。《莊子・駢拇》中反映了這種現象：“自三代以下者，天下莫不以物易其性矣：小人則以身殉利，士則以身殉名，大夫則以身殉家，聖人則以身殉天下。故此數子者，事業不同，名聲異號，其傷性以身為殉，一也。”所謂“殉”，就是以身從物，以自己的心靈和身體為代價，換得一時的“物”的慾望的滿足。在爭奪擾攘的社會人群中，這種喪失自我，以身從物的現象是普遍存在的。

名利之求普遍存在，它是出於人的天性，是以人的慾望為基礎的。簡單的禁慾辦法不可取，為此，老子主張“少私寡慾”（十九章），以“寡慾”取代“甚慾”，以主觀心理上的“知足”和客觀行為上的“知止”為手段，節制自己的物質慾望，“物物而不物於物”，擺脫物質慾望的奴役和羈絆，獲得心靈的寧靜和自由。而心靈的寧靜和自由是“長生久視之道”的關鍵，只有獲得了精神的解脫和超越，生命的尊嚴和價值才得以實現，全生盡年的目的才能達到。

四十五章

大成若缺，[1]其用不弊；[2]大盈若沖，[3]其用不窮。[4]大直若屈，[5]大巧若拙，大辯若訥。[6]

靜勝躁，寒勝熱，[7]清靜為天下正。[8]

注釋

1. 大成：最完滿之物。缺：缺陷。
2. 弊：同於"敝"，衰竭，敗壞。
3. 盈：滿。沖：虛空。
4. 窮：盡，終結。
5. 屈：彎曲。"屈"字傅奕本、范應元本、帛書本作"詘"，"詘"通"屈"。
6. 辯：能言，善於辭令。訥：拙於言辭，說話遲鈍。
7. 以上兩句王弼本及其他本作"躁勝寒，靜勝熱"，據蔣錫昌、嚴靈峰、黃瑞雲諸家所說改。
8. 正：準則，楷模，法式。

串講

最完滿的事物，看起來好像有缺陷，但是它的作用卻永不衰竭；最充實的事物，看起來好像很空虛，但是它的作用卻永不終結。最直的事物，看起來好像彎曲似的；最靈巧的事物，看起來好像笨拙似的；最卓越的雄辯，看起來好像說話遲鈍似的。

清靜可以克制躁動，寒冷可以克服炎熱，能夠執守清靜無為之道的人，可以作為天下的楷模。

評析

本章以正反相生、相反相成的辨證思想，論述“道”的外在顯現與其本質特徵之間的矛盾，進而指出清靜無為才是“道”的本質，是自然界與人類社會共同遵循的法則。

開頭四句講道的現象與功用之間的矛盾，即“道”的外在顯現與其本質特徵之間的矛盾。“大成”、“大盈”、“大直”、“大巧”、“大辯”指道體而言，“若缺”、“若沖”、“若屈”、“若拙”、“若訥”指道象而言，“不弊”、“不窮”指“道”用而言。“道”以其獨立無對之“大”，超出於日常經驗及感官之外，其外在現象與功用特徵每若相反：成而若缺，盈而若沖，直而若屈，巧而若拙，辯而若訥。這種矛盾正表現了作為萬物根本的“道”的大全和終極特性。處於大全和終極狀態的“道”，包含了矛盾的正反或陰陽兩種形態，它們既矛盾排斥，又和諧統一，正反相生、相反相成。處於完美、圓滿狀態的“道”，因為包容了互相矛盾、制約的兩個方面，才不會走向極端或發生根本變化，才保持了自身的穩定與和諧。

老子認為，雖然“道”包含了陰陽兩個方面，但它的本質屬性卻並非一分為二的。陰陽相交，一動一靜，躁、熱屬陽，靜、寒屬陰。“道”起源於“一”，又歸根於“一”，“歸根曰靜”（十六章），故老子認為“靜為躁君”（二十六章）。“靜”即無為，是“道”的根本特徵。清靜無為既是自然的法則，同時也是人類社會的法則，不論是個人的身心修養，還是國家社會的治理，都應以清靜無為作為最高的原則。

四十六章

天下有道，卻走馬以糞；[1]天下無道，戎馬生於郊。[2]

禍莫大於不知足，[3]咎莫大於欲得。[4]故知足之足，[5]常足矣。

注釋

1. 卻：止息。走馬：善於奔跑的馬，這裏指傳送軍情之馬。糞：即糞田，耕種之意。傅奕本"糞"作"播"，古時"糞"、"播"通用。
2. 戎馬：戰馬。生：生產，即產小馬駒子。郊：郊野。古時國都之外，離都城五十里的地方叫近郊，一百里的地方叫遠郊。
3. 禍：災禍。本句"禍"字及下句"咎"字，帛書甲乙本皆作"罪"。
4. 咎：過失，罪過。"欲得"，《韓非子·解老》引作"欲利"。
5. 之：代詞，這個、這種的意思。本句連同下句的意思是：所以知道滿足的這種滿足，才是永遠的滿足。本句《韓非子·解老》引作"知足之為足矣"，司馬光本作"知足常足矣"。

串講

天下有道的時候，世間沒有爭鬥，戰馬沒有作用而被用來耕田；天下無"道"的時候，戰亂頻繁，所有的馬都被用來作戰，連母馬都要在戰場上生小馬駒了。

天下的禍患沒有比不知足更大的了，天下的過失沒有比貪得無厭更大的了。所以知道滿足的這種滿足，才是永遠的滿足。

評析

本章以世道是否安寧作為判斷天下有“道”或無“道”的標準，進而揭示出造成天下無道的根源就在於人的貪慾，又提出知足之理作為克制貪慾的藥方。前兩句描述了兩種社會狀態：一種是天下有道的安樂和平之世，一種是天下無道戰亂頻仍的動蕩之世。老子通過這種對比性的描述，把天下有道與否與社會治亂和人民生活聯繫在一起，表現了老子關注社會民生的憫世之心。描述中也寄寓了老子對當時諸侯相奪、虞亂相繼的社會現實的憤恨與不滿，表現了老子期盼和平，反對戰爭的社會理想。

老子進一步揭示了天下無道的根源。他把天下無道歸因於世人受貪慾驅使的爭奪之心，尤其是上層統治者們的“不知足”和“欲得”。為了克制人心的貪慾，老子又提出了知足之理。所謂的知足，是一種心理上的滿足，而非大量獲得後的物慾的滿足。只要人存在貪慾之心，客觀的滿足就不會存在。追求慾望的滿足雖是正當的，但過度的追求，尤其是對物慾的過度追求，必然導致身心的矛盾和痛苦，進而造成社會上的兼併與掠奪。只有“知足”，即知道滿足的這種滿足，才是真正的滿足。這種滿足是一種主觀的滿足，能夠正確定位慾望的限度，把握實現滿足的尺度，選擇正確的途徑。這種滿足去除了人的心靈之敝，克制了人的貪慾，是真正意義的滿足。

四十七章

不出戶，[1]知天下；不窺牖，[2]見天道。[3]其出彌遠，[4]其知彌少。

是以聖人不行而知，不見而名，[5]不為而成。[6]

注釋

1. 戶：門。
2. 窺：從小空隙裏看。牖：窗戶。
3. 見：知道。天道：指日月星辰運行的規律。以上四句帛書乙本作“不出於戶，以知天下；不規於牖，以知天道”。
4. 彌：愈、更加。
5. 名：通“明”，明白。“名”字《韓非子·喻老》引作“明”。
6. 不為：即無為，不妄為。

串講

不出門戶就知道天下的事理，從小空隙裏看就知道日月星辰運行的規律。離開家門往外走得越遠，所知道的道理反而越少。

所以有道的聖人不遠行而知道天下的事理，不窺見天下萬物而明白自然的法則，不妄為而萬事可成。

評析

本章是老子的認識論和知識論，意在說明“無為”在人的認識和知識獲得上的重要性。

按照一般的見解，不出戶，則無以知天下；不窺牖，則無以見天道，外出越遠，所知越多。而老子的認識與此恰好相反。產生這種差別的原因有二：一是在知識論方面，老子主張“絕學棄智”，主張拋棄一般性的知識，不以世界萬物的具體事實、具體事物本身為知識的對象。老子認為，一般性的知識只利於人的“小智”，是巧詐與偽善的禍端，使人心智蒙蔽，精神渙散，損害本性。老子還認為，認識事物的本質而非表象，培養人的“大智”而非“小智”，才是學習知識的關鍵。只有掌握了“大道”，才能洞察自然界的運動規律，才能推知世界萬物之理，才能“不為而成”。二是在認識論方面，老子輕視外在的經驗知識，重視內在的直觀自省。老子強調，外存的認識使人心智外馳，思想紛亂，心靈躁動，心智為情慾所蔽，無法做到明察洞悉。只有“致虛極，守靜篤”（十六章），內觀返照，淨化心靈，才能“常無欲以觀其妙”（一章），洞見事物的本質。

基於這種認識，老子提出：“為學日益，為道日損”（四十八章），提倡“不行而知，不見而名”。這實質上就是把“無為”作為人的認識和知識的最高原則。既然“道”一而靜，人就應當以“道”為法，“處無為之事”（二章）、“清靜為天下正”（四十五章），以無為的態度獲得真知與真識。獲得這種真知真識的人，老子稱之為“聖人”，如同《韓非子．喻老篇》所言，他們能夠“隨時以舉事，因資而立功，用萬物之能而獲利其上”，達到“不為而成”的境界。

四十八章

為學日益，[1]為道日損。[2]損之又損，以至於無為。

無為而無不為。[3]取天下常以無事，[4]及其有事，[5]不足以取天下。

注釋

1. 為學：從事於學，尤指學習政教禮樂。日益：指人的知識、智巧、慾望、詐偽等日漸增多。
2. 為道：體道，從事於"道"。損：指減少乃至棄絕知識、慾望等，與上文"益"相對。本句帛書乙本作"聞道者日亡"，下句兩"損"字，帛書乙本亦作"亡"。
3. 無為而無不為：雖然無為，然而沒有一件事情不是其所為。
4. 取：治理，掌管，與二十九章"取天下而為之"的"取"意義相同。無事：即無為，不人為地擾攘。
5. 及：若，如果。有事：有為，指設政令、訂刑罰等。

串講

學習政教禮樂，則人的知識、智巧、慾望、詐偽等就會日漸增多。從事於道，人的知識、智巧、慾望、詐偽等就會日漸減少乃至滅絕，沒有了知識、智巧、慾望、詐偽之心，最終就能達到"無為"的精神境界。道性自然，不恣意為之；雖然無為，然而沒有一件事情不是其所為的。治理天下，要順任天性，不要人為地擾攘民眾，如果設置政令、修訂刑罰，那麼是不能夠治理好天下的。

評析

本章內容實際上是上一章內容的延伸和擴展，是老子以其道論為基礎，將知識論和認識論的最高原則“無為”擴展延伸到社會政治領域，是以“無為”為宗旨貫徹的知識論、認識論和政治論。

全文分兩個段落。前一段落與上一章一致，是老子的知識論和認識論，只是論述的角度略有不同。上一章的主旨是論述“無為”在知識和認識問題上的重要性，而這一段是論述在知識和認識問題上達到“無為”的具體方面。老子首先按對象、目的的不同把學習活動劃分為兩種類型：為學和為道。所謂“為學”，是指人類以認識、利用外部客觀世界為目的的探索學習活動，其特點是以具體感性知識為基礎，以各個具體的客觀事物為對象，通過對個別的、有限的、具體的客觀知識的不斷積累，最後達到對外部客觀世界的整體、普遍的認識。所謂“為道”，是指對作為宇宙萬物生成、運動、發展、變化的根源和總規律的“道”的認識活動，是以理性思維為基礎，通過“玄覽”、“靜觀”等內向心靈求索活動，最後達到與“道”合一境界的認識活動。在老子看來，前者雖然可以增加人的識見和智巧，卻是以增加人的情慾，進而造成天下多事多擾為代價的；而後者以直觀內省體悟為主，可以使主體情慾減損，心靈虛靜。故老子重視後者而輕視前者。在老子看來，這種排斥了個別的、有限的、片面的具體知識，以認識整體的、普遍的、無限的“道”為目的的認知活動，可以使主體把握“道”的本質，進而使主體與“道”一體，達到“無為”的境界。這一過程與為學的“日益”相反，是“日損”的過程，但實際上，“物或損之而益，或益之而損”（四十二章），“日損”者是“損之而益”，“日益”者是“益之而損”。因為“損”的結果是與道為一，是無為之境。

後一段落是把前一段的“無為”宗旨貫通到社會政治領域。“為道”的目的是認識“大道”，達到“無為”，而“無為”的功用是“無不為”，不論是學習活動、認識活動，還是社會政治活動，“無不為”可以使主體順應自然，不受限制，無所為而無所不成。“無為”應用於社會政治，體現在治理國家，就是“無事”，也就是無擾攘之事，無繁苛之政。“無事”的前提是為政者的“無為”。只有為政者祛除慾求之私，內心涵泓澄明，體悟自然“大道”，才能進而垂範世人，先律己後律人，以無慾不爭之心治國，使民眾各安其職，各樂其業，無所為而民自化。可見，“無為”既是老子自然觀、本體論的核心，也是老子認識論、社會政治論的核心，是老子觀察和解決社會問題與矛盾的出發點和具體方法。

四十九章

聖人常無心，[1]以百姓心為心。

善者，[2]吾善之；[3]不善者，吾亦善之，德善。[4]信者，[5]吾信之，不信者，吾亦信之，德信。[6]

聖人在天下，[7]歙歙焉；[8]為天下，[9]渾其心。[10]百姓皆注其耳目，[11]聖人皆孩之。[12]

注釋

1. 無心：指沒有主觀、偏固之心。亦可以解作無私心、無我。
2. 善者：善良的人。
3. 善之：善待他們。
4. 德善：得到善，指人人歸心向善。“德”同“得”，即得到。
5. 信者：誠信的人。
6. 德信：得到誠信，指人人守信。
7. 在：於。
8. 歙歙：收斂的意思，同於三十六章“將欲歙之”之“歙”；或解作和順、諧和的樣子。焉：語氣詞，猶“然”。
9. 為：治理。
10. 渾其心：質樸其心，亦即使心歸於質樸，達到“常無心”之境。渾，質樸之意；其，指聖人自己。大多注本釋為“渾”百姓之心，使天下人心化歸於渾厚質樸，然而將“歙歙焉”、“渾其心”理解為均是針對“聖人”而言較為合理。“渾其心”傅奕本作“渾渾焉”，馬敘倫《老子校詁》云：“《老子》本文當作‘渾渾焉’。”馬說可從，作“渾渾焉”不但與上文“歙歙焉”相對稱，文意亦明暢，故黃瑞雲《老子本原》本句即作“渾渾焉”。

11. 注：專注。此句言百姓皆專注他們自己的耳目，彼此斤斤計較。

12. 孩之：使他們(百姓)都保持像小孩那樣的真純狀態。孩，活用為動詞，屬古漢語中的使動用法。

串講

有道的聖人往往沒有偏固之心，而是以百姓的心意作為自己的心意。

善良的人，我善待他們，不善良的人，我也善待他們，這樣最後人人都會歸心向善。誠信的人，我信任他們，不誠信的人，我也信任他們，這樣最後人人都會歸心守信。

有道的聖人對於天下沒有私慾，這樣治理天下就會使心歸於質樸的狀態。即使百姓皆專注於自己的耳目，斤斤計較，聖人都能讓他們保持像小孩那樣的真純狀態。

評析

本章論述以無為之道治國理政的意義和作用，反映了老子的社會政治理想。老子心目中理想的統治者是抱道治國者，是心地質樸，沒有私慾的自然無為的聖人。他們沒有自己的意圖與謀劃，不以主觀好惡定是非，渾厚淳樸，以誠善之心待人，“以百姓之心為心”，能夠順應百姓的心願，“民之所好者好之，民之所惡者惡之”。不論是善者、信者，抑或是不善者、不信者，都能一視同仁，“常善救人，故無棄人”（二十七章），以自己的道德去感化他們，使他們歸於善良、誠信。“以百姓之心為心”，進而“德善”、“德信”，表現了老子的民本思想、民主意識和人道精神，尤其值得我們注意和珍視。

以“道”治國的核心在於行無為之政。二章的“聖人居無為之事，行不言之教”，五十七章的“我無為而民自化，我好靜而民自正，我無事而民自富，我無欲而民自樸”，說的都是這個道理。實現無為之政的前提是為政者的“無為”、“好靜”、“無事”、“不欲”，進而“以百姓之心為心”，因勢利導，使百姓由過去的只關注個體利益，各用其聰明擾攘爭奪，轉變為以善良、誠信待人，滅其私慾，回歸到嬰兒一般的淳樸無邪的自然天真狀態。無為之政的特點在於“化”，化己心為民心，進而化民心為嬰兒之心。這種春風化雨式的感化之教體現了“道”的自然無為的本質特徵，是老子社會政治理想的反映。

五十章

出生入死。[1]生之徒十有三，[2]死之徒十有三，[3]人之生，動之死地，十有三。[4]夫何故？[5]以其生生之厚。[6]

蓋聞善攝生者，[7]陸行不遇兕虎，[8]入軍不被甲兵。[9]兕無所投其角，虎無所措其爪，兵無所容其刃。[10]夫何故？[11]以其無死地。[12]

注釋

1. 出生入死：關於此句，通常有兩種解釋，一謂人出世為生，入地為死，本於《韓非子・解老》所曰："人始於生而卒於死。始謂之出，卒謂之入。故曰：'出生入死。'"二謂人離開生路，即進入死路，本於王弼注文所曰："出生地，入死地。"第二種解釋較為接近老子本義。
2. 徒：通"途"，途徑、道路。也有注家解為類、屬，則"生之徒"即意為能夠長壽之人。本句"生之徒"之"生"，指能夠得到正常的壽命。十有三：十分之三。
3. 死之徒：指未得到正常的壽命即夭亡。
4. 之：動詞，往，至。動：自動。本句意為：人本來可以活得長久，但卻自己走向死地，這樣的情形也佔十分之三。
5. 夫：那，指"動之死地"。
6. 生生之厚：養生過度，指貪得無厭地追求奢侈淫佚的生活。生生，猶養生，動賓結構。
7. 攝生：養生。攝，護養。
8. 兕虎：犀牛和老虎。帛書甲本"陸"作"陵"，指山地、丘陵。

9. 被甲兵：受到兵器傷害。被，動詞，受到，遭到；或解為帶，亦通。甲兵，指兵器。

10. 容：通"庸"，用。刃：刀口，刀鋒。

11. 夫：這，那，指"兕無所投其角，虎無所措其爪，兵無所容其刃"。

12. 無死地：沒有進入死亡之地。

串講

凡天下的人離開生路，就進入死路。能夠得到正常壽命的情形有十分之三，夭亡的有十分之三，人本來可以活得長久但卻自己走向死地的情形也佔十分之三。那麼這種自己走向死地的原因是什麼呢？因為他們貪得無厭地追求奢侈淫佚的生活。

聽說善於養生的人，在山地行走不會遇見犀牛和老虎，在戰爭中不會受到兵器的傷害。對他犀牛沒有辦法使用它的角，老虎沒有辦法使用它的爪子，兵器沒有辦法使用它的刀鋒。這是什麼原因呢？因為善於養生的人是不會進入死亡的境地的。

評析

本章從正反兩個方面論述修身養生之道亦當以"無為"為本，是以無為之道為核心的養生論。全文兩處出現"夫何故"，其前後句分別構成因果關係。而兩個由"夫何故"構成因果關係的句群，構成了全文的上下兩個自然段落。前段從反面論述不善養身、全生之害，後段從正面論述以無為之道養攝身心之益，邏輯清晰，條理分明。

前段論述了不善養生之害。老子根據生命過程的狀態，把普通人劃分為三類：能夠得到正常壽命的長壽者，未能得到正常壽命的夭亡短命者以及本可以得到正常壽命，卻由於自己不善養生而自行走向死地者。前二類人雖有壽命長短之異，卻都是順應自然，完成了生命有機體的自然過程。唯有第三類人，他們違背了自然，破壞了生命的自然過程，所以特別引發老子的養生之論。老子認為，養生過度，生命之慾望過強是他們走入死地的根本原因。養生亦如世界萬事一樣，受着天道的支配，“或損之而益，或益之而損”（四十二章），若不能以理性態度面對生死這一自然規律，一味追求“益生”，強制地人為改變自然規律，其結果自然是不但無益，反而有害。老子在五十五章中說：“知和曰常，知常曰明。益生曰祥，心使氣曰強。物壯則老，謂之不道，不道早已”。所謂“物壯則老”，即“壯物則老”，如拔苗助長一類行為，必然帶來災禍，有害生命。

後段論述以“無為”之道養攝身心之益。運用“兕虎”、“甲兵”等幾個比喻，形象地說明善攝生者能夠明理通變，察於安危，明於禍福，具有不惑不懼、超然生死的精神境界。《韓非子・解老篇》云：“民獨知兕虎之有爪角也，而莫知萬物之盡有爪角也”、“兕虎有域，而萬害有源，避其域，塞其源，則免於諸害矣。”善攝生者之所以能夠全身遠害，不入死地，在於他們明白“萬物盡有爪角”的道理，能夠順應自然規律，凡事避免刻意強求，少私寡慾，清靜無為。在日常生活中“甘其食，美其服，安其居，樂其俗”（八十章），內心平靜，真氣流暢，恬淡虛無，精神內守，節制嗜慾，不惑不懼。既知“常”，又知“和”，不“益生”，不“使氣”，以自然無為的態度優遊人世，以從容超然的心情面對人生，全身遠害，以盡其天年。

五十一章

道生之，德畜之，[1]物形之，[2]勢成之，[3]是以萬物莫不尊道而貴德。道之尊，德之貴，夫莫之命而常自然。[4]

故道生之，德畜之，長之育之，[5]亭之毒之，[6]養之覆之。[7]生而不有，[8]為而不恃，[9]長而不宰，[10]是謂玄德。[11]

注釋

1. 畜：養育，繁殖。
2. 物形之：因物而賦形。
3. 勢：自然之勢。勢成之，指萬物因自然之勢而成之。“勢”帛書甲乙本作“器”。
4. 命：支配，干涉。本句連同前兩句言“道”與“德”之所以被尊崇和珍貴，正在於它從來對萬物不支配干涉，而任其自然。
5. 帛書乙本“育”作“遂”。
6. 亭之毒之：成熟結果。亭，通“成”，結成果實的意思。毒，通“熟”，果實成熟的意思。河上公本、景龍碑本、敦煌本等作“成之熟之”。
7. 養之覆之：愛養保護。覆，保護。傅奕本、范應元本“養”作“蓋”。
8. 有：佔有。此句以下四句又見於十章，馬敘倫《老子校詁》認為係本章文字錯簡竄入十章，其說可從。
9. 恃：依仗。
10. 宰：主宰。

11. 玄德：幽深玄遠之德。

串講

“道”創造萬物，“德”養育萬物，萬物因本性而呈現不同形態，因自然之勢而生長起來。所以萬物皆尊崇珍重“道”與“德”，而“道”與“德”之所以被尊崇和珍貴，正在於它對萬物從來不支配干涉，而任其自然。

所以“道”創造萬物，“德”養育萬物，使萬物生長發展、成熟結果，愛養保護萬物。生育萬物而不佔為己有，興作萬物而不依仗它們，滋長萬物而不為其主宰，這才是最高境界的“德”。

評析

本章論述“道”順應自然，無為而無不為，創生萬物兼助養萬物生長、發展的過程，進而指出“大道”創生、養育萬物的無為自然的品德是自然界及人類社會的普遍法則。

開頭“道生之，德畜之，物形之，勢成之”四句，殊難理解，可以簡單地解釋為以“萬物”為主語的被動句：生之以道，畜之以德，形之以物，成之以勢。“道”是萬物的創生、養育者；“德”是為“道”所決定的具體事物的內在規定性；“物”即物象，是一個具體事物與眾不同的獨特形象；“勢”可以理解為情勢，是一個具體事物生存、發展的外在條件和外在環境。“道”創生萬物，同時又內在於萬物；萬物獨立於“道”而自由發展，同時又是“道”本性的體現。雖有道生、德畜、物形、勢成的不同，卻都是“大道”本性的表現；雖然隱而不顯，“綿綿若存”（四十章），卻是無所不在，無為而無不為。萬物以道為本，以德為用，以物為形，以勢為成，其中“道”與“德”處於根本性的地位。“道”以其善德創生萬物，萬物合於“道”則得以存在，一主創生，一主長養，故萬物“尊道而貴德”。這種尊和貴是自然而然的，是沒有強制和外在顯現的，是“莫之命而常自然”的。

後面一段是對“莫之命而常自然”的解釋，說明“大道”創生、長養萬物並無目的性和功利性，是一種無為自然的善德的體現。“生而不有，為而不恃，長而不宰”，說明“大道”生養萬物卻不佔為己有，盡力盡責卻不恃己能，主宰萬物卻不去控制，因任自然，使萬物自由發展其獨特的存在，表現了“大道”以弱為用，隱而不顯，自然無為的本質特性。關於“玄德”，王弼注說：“有德而不知其主也，出乎幽冥，故謂之玄德也”。“玄德”即隱而不顯之德，即三十八章所謂“上德不德，是以有德”之意，說明“大道”德加萬物卻以無為無心行之，遍利眾有卻與“德”合體而相忘於“德”。這種以“道”的自然無為為特徵的幽深玄遠之德是天地間最上等的“德”。“上德無為而無以為也”（三十八章），既無為而為之又無心於無為，是自然界和人類社會的普遍法則。

五十二章

天下有始，[1]以為天下母。[2]既得其母，以知其子。[3]知其子，復守其母，沒身不殆。[4]

塞其兑，[5]閉其門，[6]終身不勤。[7]開其兑，[8]濟其事，[9]終身不救。

見小曰明，[10]守柔曰強。[11]用其光，復歸其明。[12]無遺身殃，[13]是謂習常。[14]

注釋

1. 始：原始、開端，指“道”。
2. 母：本、根源，亦指“道”。
3. 子：指天下萬物。帛書乙本“知”作“得”。
4. 沒身：終身。殆：危險。
5. 兑：孔竅，指耳目口鼻等感官。
6. 門：義同“兑”。
7. 勤：憂、勞。馬敘倫《老子校詁》曰：“‘勤’借為‘瘽’，《說文》曰：‘病也。’”其說可從。
8. 開其兑：開啟知識嗜慾的孔竅。
9. 濟其事：為其紛雜之事。濟，助、成。
10. 小：隱微，喻“道”。或解作“少”，意思是所見越少則越明。
11. 守柔：即守“道”。
12. 復歸：黃瑞雲《老子本原》云：“此句《牟子．理惑論》引作‘復其明’，與上句‘用其光’正相對，疑本句原作‘復其明’，復亦遮蔽之意。王弼注為‘不明察也’，與遮其明之意正合。二句皆謂蔽其光明，與‘塞其兌，閉其門’相應。注家或解‘用其光’為運用智慧之光。此佛家觀念，與老子思想亦正相反。”

13. 遺：招致。殃：災禍。

14. 習常：習，通“襲”，沿用、因襲的意思；常，常道。習常，即因順常道。

串講

天下萬物都有個開端，這就是“道”，“道”創造萬物，所以是天下萬物的根源。既然能夠掌握萬物根源的“道”，那麼就可以認識天下萬物。如果認識了天下萬物，又能夠把握萬物根源之“道”，那麼就能夠終身沒有憂患。

堵塞耳目口鼻等感官慾念的門戶，則終身不會有憂患，開啟知識嗜慾的孔竅，則終身不可救治。

所見越少則越明智，守道不移則越剛強。壅蔽各種慾念，才不會招致災禍，這就是所說的因順常道。

評析

本章首先以母子關係比喻“道”與萬物的關係，強調對“道”的認識要全面完整，既要瞭解“道”的唯一性，又要瞭解“道”的豐富性；又通過“塞其兌，閉其門”與“開其兌，濟其事”兩種不同生存方式和認識方式的對比，得出“終身不勤”與“終身不救”兩種相反的結果，強調知“道”的重要性；進而論述以“道”為法，認識並遵循“道”的法則對於人生的重要意義。概括地說，本章主旨是論述“道”對於人類的重要性：人應守本歸元，以“道”為認識的對象、行動的準則。

首先，老子以“母”喻道，以“子”喻萬物，強調“道”與萬物之間的親合無間的關係。“道生一，一生二，二生三，三生萬物”（四十一章），“道者，萬物之奧”（六十二章），“道”作為萬物的創生和長養者，是萬物的本源；“萬物並作，吾以觀復。夫物芸芸，各復歸其根”（十六章），萬物作為“道”的承載者，是“道”的外在顯現。老子認為，在“道”與萬物的關係中，“道”是本，是根，是源，是母；萬物是末，是用，是流，是子。認識“道”，既要認識“道”的本體、根源，又要認識“道”的功用、外在顯現。只知本體，不知外在功用，就不知道“道”的豐富性；只知外在功用，不知本體，就不知道“道”的唯一性和絕對性。要想全面完整地認識“道”，就應“既得其母，以知其子；知其子，復守其母”，兼知本體與萬物兩個方面。而只有全面完整地認識“道”，人才能夠掌握自然規律和生存的法則，以“道”的自然無為作為生存、處事的準則，從而“沒身不殆”。

其次，老子以“塞其兌，閉其門”與“開其兌，濟其事”兩種不同的生存方式和認識方式的對比，得出“終身不勤”與“終身不救”兩種相反的結果，強調知“道”、守“道”的重要性。一方面，老子主張全面認識“道”，另一方面，老子又特別強調“道”本體的重要性，要人們從萬象中探求根源，把握“大道”的本體和原則。王弼注曰：“母，本也，子，末也；得本以知末，不捨本以逐末”，就是強調守“本”守“道”的意義。王弼注：“兌，事欲之所由生；門，事欲之所由從也”，而只有“塞其兌，閉其門”，即塞住嗜慾的孔竅，閉起感官的門徑，不受外在紛雜事機的困擾，人才能夠保持內心的澄明，不受利慾的困擾和蒙蔽，保持自我的天性。只有守本歸元，返歸本心，保養精神，不逐物慾，人才能夠“終身不勤”。反之，若追逐物慾，奔競名利，使心靈蒙塵，精神困敝，違背了“道”的自然無為的法則，便會“終身不救”。

最後，老子認為，人若要“無遺身殃”，就要重視“道”，認識“道”，遵循“大道”的法則。“小”和“強”是“道”的兩個特徵，“小”指“道”的隱微難識的特徵，“強”指“道”的柔弱勝剛強的特徵。“光”是“道”的外在特徵，“明”是“道”的內在特徵。“見小”、“守強”、“用光”、“歸明”是對“道”的內在與外在、本體和功用的全面掌握與保持。只有在人生過程中全面掌握與保持“大道”，以“道”的法則生存、處事，人才能“無遺身殃”，無往不利。

五十三章

使我介然有知，[1]行於大道，[2]唯施是畏。[3]大道甚夷，[4]而民好徑。[5]

朝甚除，[6]田甚蕪，[7]倉甚虛；[8]服文采，[9]帶利劍，厭飲食，[10]財貨有餘，是謂盜夸，[11]非道也哉。[12]

注釋

1. 使：假設。介然：堅固的樣子，這裏是堅信不疑的意思。
2. 大道：平坦的大路。
3. 施（yí）：通“迤”，邪徑，斜路。
4. 夷：平坦。
5. 徑：同於上文“施”，崎嶇小路、快捷方式，義同於《論語·雍也》“行不由徑”之“徑”。
6. 朝：朝政，或指宮廷建築。除：“污”的借字，“朝甚除”即言朝政甚為腐敗污亂。或解為整潔，係由王弼注“除”為“潔好也”而來。黃瑞雲《老子本原》云：“王說實誤。除、蕪、虛平列，三義相類。若‘除’釋作整治，則與下文矛盾。”
7. 蕪：雜草叢生。
8. 倉甚虛：倉庫非常空虛。
9. 服：穿着，動詞。文采：錦緞一類的帶彩色花紋的紡織品，此處指華麗貴重的服裝。
10. 厭：同“饜”，飽足。
11. 盜夸：強盜頭子。夸，大、魁。《韓非子·解老篇》作“盜竽”。
12. 非道：無道，不合乎“道”。

串講

假使我能堅信自己的認識，就會走在平坦的大路上，最害怕的就是走上斜徑。“大道”非常平坦，但是某些人卻喜歡走斜徑。

由此，朝政腐敗污亂，田地雜草叢生，倉庫非常空虛。穿着華麗貴重的服裝，佩戴着鋒利的寶劍，飽足精美的飲食，佔有富足的財產貨物，這些人可以稱作強盜頭子，是不合乎“道”的。

評析

本章通過對當時社會上種種不正常“非道”現象的揭露，表現了老子對“大道”不行的憂慮以及對生活腐朽的上層統治者的失望、斥責和對生活困苦的下層民眾的同情、憐憫。

全章分兩個段落。前一段表現了老子以道論為核心的社會政治理想以及這種理想同當時社會現實的矛盾，表現了老子對“大道”不行的社會現實的憂慮之情。章中的“我”，是指遵循“道”的規律而治理天下的統治者。“介然有知，行於大道，惟施是畏”是老子對當時治理國政的統治者提出的要求，體現了老子以自然無為之“道”治理國家的政治理想。這種政治理想要求統治者無為而治，保持內心的虛靜和順，少私寡慾，做到“去甚，去泰，去奢”（二十九章），能夠“為腹不為目”（十二章），在滿足內在需求後，節制外在的慾求，保持自然的本性。在老子看來，自然無為之政是“天道”的自然體現，本應是“甚易行，甚易知”的，“大道甚夷”，是不難做到的。而實際情況卻是“莫能行，莫能知”、“天下希及之”（四十三章），令老子大為感慨和憂慮。

在後一段中，老子一連列舉了七種不正常的"非道"現象，揭露了當時社會政治的腐敗與黑暗。按照陸希聲《道德真經傳》的解釋，這七個例子分別從不同方面揭露了上層統治者的惡行："朝甚除"，揭露他們"好土木之功，多嬉遊之娛"；"田甚蕪"是"好力役，奪民時"；"倉甚虛"是"好末作，廢本業"；"服文采"是"好淫巧，蠹女工"；"帶利劍"是"好勇"；"厭飲食"是"好醉飽，忘其民事"；"財貨有餘"是"好聚斂，困民財"。在老子看來，自然無為的"天道"所行的是"損有餘而補不足"，而不合理的現實社會卻正相反，奉行的是"損不足以奉有餘"，是完全違背了天道的。上面的七種現象都是"非道"的，是"損不足以奉有餘"的表現，引起了老子的憤怒和斥責。老子把當時棄平夷的"大道"於不顧而專行邪徑的統治者們稱為"盜夸"。所謂"盜"，即"非其所取而取之"；所謂"夸"，古與"竽"通，即強盜之首的意思。這種稱呼表現了老子對生活腐朽的上層統治者的失望與斥責，表現了老子對生活困苦的下層民眾的同情和憐憫，反映了老子的憫世之心和憤世之情。

五十四章

善建者不拔，[1]善抱者不脫，[2]子孫以祭祀不輟。[3]修之於身，[4]其德乃真；修之於家，其德乃餘；[5]修之於鄉，其德乃長；[6]修之於邦，[7]其德乃豐；[8]修之於天下，其德乃普。[9]

故以身觀身，[10]以家觀家，以鄉觀鄉，以邦觀邦，[11]以天下觀天下。吾何以知天下然哉？以此。

注釋

1. 建：建樹。拔：拔除，動搖。
2. 抱：抱持。脫：脫失，脫落。
3. 祭祀：祭神祀祖。輟：止，斷絕。
4. 修：貫徹、運用。
5. 餘：富裕，饒多。
6. 長：尊崇，居於首位。
7. 王弼本“邦”作“國”，“邦”與“豐”叶韻，漢人避高祖劉邦諱改“邦”為“國”。
8. 豐：豐饒，豐厚。
9. 普：廣大。
10. 以身觀身：以自身觀他人。
11. 此句王弼本作“以國觀國”。

串講

善於建樹的人不動搖，善於抱持的人不脫落，子孫祭神祀祖不斷絕。用這種道理來修身，德行就會真實純正；用這種道理來治家，德行就會豐盈有餘；用這種道理來治鄉，德行就會豐厚博大；用這種道理來治天下，德行就會光大普及。

所以以自身觀他人，以我一家觀其他各家，以我一鄉觀其他各鄉，以我一國觀其他各國，以天下來觀全天下。我是怎麼知道天下的情況的呢？就是依靠的這種方法。

評析

本章主旨是論述信守無為之道的重要意義。先從信守無為之道對於個人修身養德的重要性出發，推而廣之，強調守道不僅對於個人修身，而且對於社會和國家的治理，都具有同等的重要性。同時，是否信守無為之道還是觀察瞭解個人乃至社會國家的根本性標準。

"善建者不拔，善抱者不脫"，以"善建"、"善抱"為喻，說明守道之人對於"道"的態度。守道者對於"道"，應是"無為而無以為"（三十八章），既信守，又不執滯，有無雙遣，隨緣隨性。"道"之本質既是自然無為，守道者於"道"亦應自然無為。"不拔"、"不脫"是"善建"、"善抱"的結果，王弼注曰："固其根而後營其末，故不拔也；不貪於多，齊其所能，故不脫也"，既信守"道"的根本，又不執滯貪多，則長久保有"大道"，"沒身不殆"、"死而不亡"。"子孫以祭祀不輟"是以祭祀設喻，說明善守道者根基牢固，可以長久保有"大道"。

《莊子》說："道之真，以治身；其餘緒，以為國"。信守"大道"的意義首先體現在個人修身養德上面。"修之於身，其德乃真"，指善修道者"無為而無以為"，雖然"道"存乎身，卻無心於"道"，保有"大道"又不自覺其有，則其所保有之道是真正的自然無為之道。將這種真正的"道"從個人修身推而廣之，由修身進而齊家，則德澤惠及家人，"德"更深厚而有餘；由齊家進而治鄉，則德澤惠及鄉人，受到鄉人的尊敬愛戴；由治鄉進而治國，則德澤惠及國人，道德更加盛大；由治國而平天下，則德澤惠及天下，道德廣佈四方。可見，信守無為之道無論對於個人、社會乃至國家都有重要意義，而個人的修身養德，"善建"、"善抱"，又是根基和前提。老子認為，是否信守無為之道還是觀察和瞭解個人乃至社會國家的根本性標準。在正面論述了修道養德的意義後，老子又聯繫當時普遍背棄"大道"的社會現實，提出以是否守"道"作為判斷一切的根本標準。"以身觀身"即以個人之身以觀他人之身。個人守道修德，則"其德乃真"，則"子孫以祭祀不輟"，他人與我同類，修德則存而興，背德則敗而亡。其他層次以此類推可知。以"大道"為尺度去衡量小至一身，大至國家天下的一切萬物，進而判斷是否違道，則可以準確瞭解外部事物，並判斷其發展演化的趨勢。

五十五章

含德之厚，[1]比於赤子。[2]毒蟲不螫，[3]猛獸不據，[4]攫鳥不搏。[5]骨弱筋柔而握固。[6]未知牝牡之合而朘作，[7]精之至也。[8]終日號而不嗄，[9]和之至也。[10]

知和曰常，[11]知常曰明。益生曰祥，[12]心使氣曰強。[13]物壯則老，[14]謂之不道，不道早已。[15]

注釋

1. 含：包含，涵養。
2. 赤子：初生的嬰兒。
3. 毒蟲：指蜂、蠆、蛇、虺之類。螫：毒蟲以尾叮刺人，虺蛇雖然沒有毒尾，但是用毒信刺人，所以也可以稱"螫"。
4. 據：抓取。據，通"豦"，猛獸用爪抓取獵物曰"豦"。
5. 攫鳥：兇鷙的鳥，如鷹隼之類的猛禽。攫，通"瞿"，《說文》："瞿，鷹隼之視也。" 搏：猛禽用翼爪捕捉、抓擊物品曰"搏"。
6. 握固：拳頭握的很緊。
7. 牝牡之合：男女交合。牝牡分別指鳥獸的雌性和雄性。朘作：男孩生殖器勃起。朘，男孩生殖器。作，挺起，翹起。
8. 精之至：精氣充足。
9. 號：哭啼。嗄：嘶啞。
10. 和之至：和順至極。
11. 常：指自然規律。
12. 益生：過分地貪求生活享受。祥：災禍。《說文》："祥，吉凶之先見者。"是吉凶禍福皆可稱"祥"，此處之"祥"作不祥、災禍解。

13. 心使氣：慾念指使精氣而使氣任性。強：逞強。

14. 壯：強壯而盛極。以下三句又見三十章，僅“謂之不道”作“是謂不道”。

15. 已：止息，死亡。

串講

道德涵養深厚的人，可以與初生的嬰兒相比，毒蟲不螫他，兇猛的野獸不抓捕他，兇鷙的鳥不捕捉他，雖然他的筋骨柔弱，但是拳頭握得很緊。雖然他不知道男女交合之事，但是小生殖器卻常常勃起，這是因為精氣充足的緣故。雖然他整天啼哭但聲音並不嘶啞，這是因為和順至極的緣故。

知道和順的道理，就認識到了自然規律；知道自然規律，就會明曉事理。過分地貪求生活享受，就會遇到災禍，慾念指使精氣而使氣任性，就會逞強而為。強壯而盛極就會衰敗，這是因為不合於“道”的緣故，不合於“道”就會早亡。

評析

與第五十章一樣，本章亦為老子的養生論。本章以赤子為喻，描述“含德之厚”者精神充實飽滿、心靈自由和諧的完善狀態，進而論述信守自然無為之道，保持生命自然和諧本性對於養生的重要性。

所謂“含德之厚”者，即三十八章的“上德不德”之人，是與“德”合體而相忘於“德”者，無為而無以為者。將“含德之厚”者喻為嬰兒，在《老子》書中出現多處：十章：“專氣致柔，能嬰兒乎？”；二十章：“若嬰兒未孩”；二十八章：

"為天下谿，常德不離，復歸於嬰兒"等。老子並非將復歸嬰兒的生理狀態當成守道修德的目的，而是如《孟子．離婁》篇說的"大人者，不失其赤子之心"，把保持純真質樸的心靈當作目的。所謂"毒蟲不螫，猛獸不據，攫鳥不搏"也不是一種神異的功能，而是如王弼之注："赤子無求無慾，不犯眾物，故毒蟲之物無犯。含德之厚者，不犯於物，故無物以損其全"，或如《列子．天瑞》所云："其在嬰孩，氣專志一，和之至也，物不傷焉，德莫加焉。"嬰兒是人生的開端和起點，雖渾沌無知，卻能夠自然無為，與天地"大道"合德。嬰兒雖柔弱，但"弱者道之用"（四十章）、"天下之至柔，馳騁天下之至堅"（四

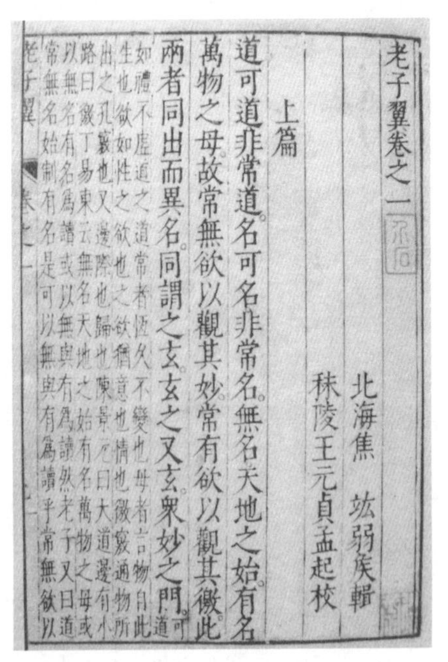
老子翼卷之一
北海焦　竑弱侯輯
秣陵王元貞孟起校
上篇
道可道非常道。名可名非常名。無名天地之始。有名
萬物之母。故常無欲以觀其妙。常有欲以觀其徼。此
兩者同出而異名。同謂之玄。玄之又玄。衆妙之門。可道
如禮不虛道之道常者恆久不變也母者言物所自此
生也欲如性之欲也之欲猶意也情也徼竅通物所
出之孔竅也又邊際也歸也陳景元曰大道邊有小
路曰徼丁易東云無名天地之始有名萬物之母或
以無名有名爲讀或以無與有爲讀然老子又曰道
常無名始制有名是可以無與有爲讀乎常無欲以
老子翼　卷之一

明焦竑集注《老子翼》（明萬曆十八年王元貞校刊本）

十三章）；嬰兒無慾無求，無心於攫取，雖骨弱筋柔卻握拳牢固；嬰兒不知男女交合之事，小小性器卻能經常勃起；雖終日哭號卻不致聲音嘶啞。其原因，在於嬰兒“精之至”、“和之至”，在無知無為的渾沌狀態中與“大道”合體，能夠精神充實飽滿，心靈自由和諧，無知無慾，與物無爭。在這種狀態下，雖處於嚴酷危險的環境，如五十章和本章所描述的那樣，也不會受到任何損害。

“知和曰常，知常曰明”是對“含德之厚”者養生觀的概括。嬰兒的自然無慾是天性的自然表現，而守道修德之人的自然無慾要依靠認識“大道”、保持“大道”來實現。“常”就是自然規律，就是自然無為之道；而“和”是指個體身心的和諧平衡，自然純樸的狀態。保持“和”的身心狀態，“不失其赤子之心”，無慾無求，順應人的本然天性，就是順應“大道”，尊順自然無為的至理。而認識並保持自然無為之道就是“明”，就能夠順應自然，養生盡年。與之相反的則是“益生”和“心使氣”。“益生”就是追求享樂，人為干預生命的自然狀態和發展過程，最終只能是拔苗助長，危害生命與健康。《莊子·德充符》說：“常因自然而不益生，蓋以生不可益。益之則反乎自然，而災害至矣”。“物或損之而益，或益之而損”（四十二章），在養生問題上的人為增益、干預只能帶來相反的結果。“物壯則老”即“壯物則老”，凡物過盛則衰，過滿則溢，人為“壯”之過度，則趨向反面，走向衰亡。“不道”即不合自然無為之道，在養生上反“道”而行，只能是自取死道，自滅生機。二者對比，更可見出自然無為之道對於養生的重要意義。

五十六章

知者不言，[1]言者不知。塞其兑，[2]閉其門，挫其銳，[3]解其紛，[4]和其光，[5]同其塵，是謂玄同。[6]

故不可得而親，不可得而疏，不可得而利，不可得而害，不可得而貴，[7]不可得而賤。故謂天下貴。[8]

注釋

1. 知：同於“智”。言：政教號令。
2. “塞其兌，閉其門”二句又見五十二章，注釋見五十二章注 5 、注 6 。馬敘倫《老子校詁》認為是誤記於此。
3. 銳：鋒芒。“挫其銳”以下四句又見於四章，陳鼓應《老子注譯及評介》曰：“疑四章是此處錯簡複出。”
4. 紛：紛憂。王弼本“紛”作“分”， 帛書本、景龍碑本、范應元本作“紛”，據改。
5. 和：合，渾同。
6. 玄同：齊同，均一，冥然渾同之境界，亦即“道”的境界。
7. 貴：尊貴，崇尚。
8. 高亨《老子正詁》曰：“‘天下貴’當作‘天下貞’，貞、貴形似，且涉上文而訛。”錄以備考。

串講

智者明白“道”的精微奧義是不能用語言表述清楚的，所以他們不言說“道”，而那些對“道”誇誇其談的人往往不是智者，因為他們並不真正懂得道的精妙。堵塞視聽，關閉理智的門戶，和陽光一體，與塵埃混同，挫掉鋭氣鋒芒，消解紛擾繁亂，這就叫做“玄同”，即與奇妙深奥的“道”齊同抱一。

達到這種境界，即能領悟“玄同”的人，既不能使他顯得更親切，也不能使他顯得更疏遠；既不能從他那裏獲得利益，也不能使他受到傷害；既不能使他尊貴，也不能使他卑賤。這種人格境界是天底下最可貴的。

評析

本章是論述信守無為之道者的理想人格境界。老子認為，理想的人格境界是以身體道而不貴言説，消除物我的對立與隔閡，超脱於偏私與成見，即“玄同”的最高道境。

老子重視“不言”和“不言之教”，有很多相關論述，如二章：“是以聖人處無為之事，行不言之教“；五章：“多言數窮，不如守中”；四十三章：“不言之教，無為之益，天下希及之”等。《莊子・知北遊》也有“夫知者不言，言者不知，故聖人行不言之教”的話。“大道”是不能用語言準確表達的，不能用概念去界定，在這一方面，玄學的“言不盡意”之説有着深刻的哲學內涵。既然“言不盡意”，唯一的辦法就只有“立象以盡意”，就是用描述的方式去表現“道”的外在形象。老子用了很多如“恍兮惚兮”、“綿綿兮若存”、“窈兮冥兮”、“寂兮寥兮”的感性詞語去描述“道”。這種描述是對“道”體悟的結果，而非理性認識的表達。所以，真正的悟道者認識到語言的局限性，寧願選擇體“道”行“道”而不言“道”。

體“道”行“道”就是要將個體的身心同於自然，同於“大道”，達到與“物”大同、與“道”合一的境界。個體同於自然的最大障礙是對於自我之過度執滯。打破物我隔閡，消除物我之間的緊張對立狀態是體道的前提條件。只有“塞兑”、“閉門”、“挫鋭”、“解紛”、“和光”、“同塵”，才能使主體超越物我的對立，消除個人慾念之私，以開闊的心胸面對世人，面對自然，與“物”大同，與“道”合一。所以，真正的體道者不是特立獨行的，而是寬容的，充分理解他人、理解環境的。一方面，體道者保持着“玄”心，堅持守“道”修德；另一方面，他又和光同塵，不執着於片面的私心和成見。他是同而不同，不同而同的，可稱為“玄同”，是“道”的最高境界。達到了“玄同”之境的人，也就超越了局限性而接近於“大道”的無限性了。在這樣的境界中，親疏、利害、貴賤之別已失去了意義。世間萬物在得道者的眼中不存在任何區別，萬物是齊一的。《莊子·齊物論》所闡發的就是這個道理。這樣的人格境界是為天下人所尊重的最理想的“道”的自然無為境界。

五十七章

以正治國，[1]以奇用兵，[2]以無事取天下。[3]吾何以知其然哉？[4]以此：[5]

天下多忌諱，[6]而民彌貧；[7]人多利器，[8]國家滋昏；[9]人多伎巧，[10]奇物滋起；[11]法令滋彰，[12]盜賊多有。

故聖人云：我無為而民自化，[13]我好靜而民自正，[14]我無事而民自富，我無欲而民自樸。[15]

注釋

1. 正：正規，正道，指清淨之道。帛書甲本“國”作“邦”。
2. 奇：奇巧，詭秘，指奇詭機變之術。
3. 無事：無為。取：治理。
4. 何以：以何，憑什麼。然：如此，這樣，這裏指“無事取天下”。
5. 此：指下面一段文字所敘事情。
6. 忌諱：指防範禁令。
7. 彌：愈加。
8. 利器：精良的武器。或解為權謀、統治手段。
9. 滋：益發，更加。昏：黑暗混亂。“國家”帛書甲本作“邦家”。
10. 伎巧：權謀巧智。“伎”與“技”同。帛書甲本“伎”作“知”，傅奕本、范應元本“伎巧”作“智慧”。
11. 奇物：新奇物品。傅奕本、范應元本“奇物”作“邪事”。
12. 彰：分明，苛細。
13. 自化：自然化育。
14. 正：端正，規矩。

15. 樸：淳樸。

串講

以清淨無為的正道方法治理邦國，用出奇制勝的機變之術作戰，用無為思想治理天下。我是憑什麼知道這個道理的呢？是憑以下現象：

天下的事情有太多的防範禁令，那麼人民就會越來越窮困；人們手中的武器越精良，國家政治就會更加黑暗混亂；人們越有權謀巧智，就會出現更多的新奇事物；法律條令越分明苛細，強盜小偷之人就越多。

所以聖人曾說："統治者不要刻意想着怎樣去統治人民，人民會自然化育的；統治者喜好清靜修身的話，人民就會行為端正規矩；統治者沒有事情勞民，人民就會富足；統治者沒有什麼奢慾，人民自然也就淳樸了。

評析

本章是老子的政治論。先從反面聯繫當時的社會現實論證有為之政的害處，從而反證無為之政的益處，表現了老子"無為而治"的社會政治理想。

第一個段落是正面論述，主旨是強調以清靜無為的正道治理國家和天下。四十五章中有"清靜為天下正"的近似論述，與"以正治國"、"以無事取天下"互為補充。二十六章又有"靜為躁君"，六十一章有"牝常以靜勝牡"的有關論述。老子的清靜無為的政治論與他的道論密切聯繫，是道論在政治問題上的具體運用。"道"的本質既是自然無為，其特徵既是"應"

和“靜”，則清靜無為、無為而治便是“道”在政治上的必然要求。

第二個段落由上一段落的過渡句“吾何以知其然哉？”引出，是從反面論述有為之政的害處，從而反證無為之政的益處。這一段落由四個因果關係句構成，其中“天下多忌諱”、“法令滋彰”是源於上層統治者的“有為”、“人多利器”、“人多伎巧”，是下層工商業者的“有為”。有為的結果是“民彌貧”、“國家滋昏”、“奇物滋起”、“盜賊多有”。值得注意的是“彌”、“滋”、“多”幾個程度副詞，說明老子論述有為政治害處的話與當時的社會現實密切相關，是有感而發，反映了老子對現實的不滿和救世、憫世的心情。

最後一個段落是結論，是反面論述之後的正面總結。“聖人云”四句，第一句“我無為而民自化”是總綱，總領以下三句；“好靜”、“無事”、“無欲”都從“無為”而來，“自正”、“自富”、“自樸”都由“自化”而來，表現了老子“無為而治”的社會理想情境。

五十八章

其政悶悶，[1]其民淳淳；[2]其政察察，[3]其民缺缺。[4]

禍兮福之所倚，[5]福兮禍之所伏。[6]孰知其極，[7]其無正。[8]正復為奇，[9]善復為妖。[10]人之迷，[11]其日固久。是以聖人方而不割，[12]廉而不劌，[13]直而不肆，[14]光而不耀。[15]

注釋

1. 悶悶：含混而不明，昏昧而寬厚，喻政治上的清淨無為。
2. 淳淳：寬厚，淳厚。帛書乙本“淳淳”作“屯屯”。
3. 察察：嚴明，苛酷。
4. 缺缺：狡黠。高亨《老子正詁》云：“缺，疑借為‘獪’。”或解為不滿意，抱怨。
5. 倚：依憑。
6. 伏：隱藏。
7. 極：極限，界限。或解作究竟。
8. 其無正：禍福不定的意思。其：指禍福。無正：無定數，無準則。正：這裏作“定”解。
9. 奇：邪。
10. 妖：邪惡，不善。
11. 迷：迷惑。
12. 方：方正。割：切割
13. 廉：棱角，亦解為鋒利。劌：傷，劃傷。
14. 肆：直：坦直，直率。《廣雅・釋詁》：“肆，伸也。”這裏作放肆、無所顧忌解。
15. 耀：刺亮。

串講

政治上寬厚清淨，百姓就淳樸厚道；政治上嚴明苛刻，百姓就狡詐陰險。

災禍中蘊含着幸福的根據，幸福中隱藏着災禍的根據。誰知道禍福中的分界線呢？禍福是沒有一定的準則的。正常的可以轉化成反常的，善良也可能變成妖孽。人們對這種相互轉化困惑不解時間已經很久了。所以，聖賢智慧之人總是顯得方正而不倔強，棱角分明而不傷害別人的尊嚴，正直而不無所顧忌，光鮮明麗而不刺人眼目。

評析

本章開頭比較政繁與政簡兩種不同的施政方針所帶來的不同後果，再次強調無為之治的重要性。“其政悶悶”指的是清淨無為之政，“其政察察”則是指繁苛有為之政。《淮南子·道應篇》云：“澧水之深千仞而不受塵垢；投金鐵針焉，則形見於外。非不深且清也，魚鼈龍蛇莫之肯歸也。是故石上不生五穀，禿山不遊麋鹿，無所陰蔽隱也。昔趙文子問於叔向曰：‘晉六將軍其孰先亡乎？’對曰：‘中行、知氏。’文子曰：‘何乎？’對曰：‘其為政也，以苛為察，以切為明，以刻為忠，以計多為功。譬之，猶廓革者也；廓之大則大矣，裂之道也。’故《老子》曰：‘其政悶悶，其民淳淳；其政察察，其民缺缺。’”老子認為，清淨無為之政可以使社會風氣敦厚，使人民生活質樸，它要求為政者儘量避免以政干預百姓生活，儘量避免政繁擾民的“察察”之政，主張把行政精簡到最大限度。

“禍兮福之所倚，福兮禍之所伏”，是體現老子辯證法思想的千古名句。但老子在這裏僅限於表現一種政治觀點。他以自然物性之間的辯證關係比喻人性和政治行為。後四句中的“方、廉、直、光”，都是以物性喻人的品性，言聖人品性方正而不鋒利如割，雖有棱角而又不至於把人劃傷，正直坦率而不至於無所顧忌，明亮而不會有刺眼的光芒。多數注家認為本章文義前後不一致，疑有錯簡。陳鼓應《老子注譯及評介》根據馬敘倫的意見對全章進行了調整，其順序是：

其政悶悶，其民淳淳；其政察察，其民缺缺。是以聖人方而不割，廉而不劌，直而不肆，光而不耀。禍兮福之所倚，福兮禍之所伏。孰知其極，其無正。正復為奇，善復為妖。人之迷，其日固久。

調整後的順序確實比原文連貫，理解時可作參考。

五十九章

治人事天，[1]莫若嗇。[2]夫唯嗇，是謂早服，[3]早服謂之重積德，重積德則無不克，[4]無不克則莫知其極，[5]莫知其極可以有國，[6]有國之母可以長久。[7]是謂根深固柢，[8]長生久視之道。[9]

注釋

1. 事：侍奉，侍候。天：有兩種解釋，一種解為"自然"，則所謂"事天"即是對待自然；一種解為"身體"，則"事天"即為養生。
2. 嗇：節儉、愛惜之意，為老子學說中的一個重要概念，強調的是愛惜、節儉，畜養而不用，亦即清淨無為。
3. 早服：早作準備。"服"通"備"。又解作返、復，則"早服"謂早返於"道"。
4. 重：多，厚，深。德：即嗇之德。重積德，猶言厚積德，深積德。克：成功，取勝。
5. 極：盡。
6. 有：秉持，治理。有國，即執掌、治理國家。
7. 有國之母：治理國家的根本之道。母：本，根本。
8. 柢：樹之根。"固柢"與"根深"同義。
9. 視：活。久視，即長生。

串講

治理百姓與保養天性一樣，沒有哪一種原則比節儉、愛惜生命更重要。只有愛惜節儉，才算得上是及早地為體道、悟道做準備，很早就為體道做準備叫做修積德性。人的德性修養積累得深厚了，就沒有什麼做不到的事，人無所不能就不知道生命的極限在哪裏。這種生命力極強而無極限的人才可以擔負起治理國家的重任，明白治理國家的根本所在，才可以有長久的生命力。這就是根紮得深才能長得牢，也就是生命永駐的道理。

評析

本章以養生喻治國，是以無為之道勾通的養生論和政治論。文章提出了“嗇”這個重要的概念，從“嗇”字出發，由養生而修德，由修德而治國，由治國而守道，層層推進，貫通全文。

文章開頭提出“嗇”是“治人事天”，即對待個人、國家等一切事物的核心。所謂“嗇”，本義是收藏，引申為愛而不用，保養珍惜。“嗇”與“儉”、“損”等字在《老子》一書中文異義同，表示愛惜精力、減少耗費的原則。值得強調的是，“嗇”並非指物質財富而言，而重在強調其精神方面。《韓非子．解老篇》云：“嗇之者，愛其精神，嗇其智識也”，即是此意。“嗇”是修道成德的基礎，既關乎個人修身養生，又關乎道德的培養和堅守。《韓非子．解老篇》云：“夫能嗇也，是從於道而服於理也”。“早服”即預為準備，早從事於守道修德。善養生者能夠“嗇”，省思慮、惜精神，“致虛極，守靜篤”（十六章），則精神內斂，心靈澄明，專一於道德的修養和保持。值得說明的是，“積德”之“積”不能理解為積累、增益，因為“嗇”與“損”同義，道德的增加是“損之而益”的，是通過減少、去除思慮和慾望實現的。“無不克”即無不成，是說明修身守道者的道德力量。三十二章所謂“通常無名，樸雖小，天下莫能臣”、七十八章所謂“天下莫柔弱於水，而攻堅強者莫之能勝”都在說明“道”的力量。擁有“道”便擁有了無不克的力量，“道”具有無限性，則這種力量便“莫知其極”，無法預測其所至，也具有了同樣的無限性質。擁有了“道”的“莫知其極”的力量，則治理國家當然不算難事。掌握了“道”也就掌握了治理國家的根本，以自然無為之道治國，則國家可以長治久安。

“是謂根深固柢，長生久視之道”，是對前面推論的概括和總結，是對以“嗇道”治人事天效果功用的說明。“根深固柢”是以大樹之堅牢、穩固為喻，說明以“嗇道”治人，則國家長治久安，人民富足；以“嗇道”事天，則個人可以全生盡年，長生久視，進而同於萬物，同於自然，天人和諧一致。所以，“嗇道”既是個人養生之法，又是治國理政之方，是“道”的自然無為性質的表現。

六十章

治大國，若烹小鮮。[1]

以道莅天下，[2]其鬼不神。[3]非其鬼不神，[4]其神不傷人。非其神不傷人，聖人亦不傷人。夫兩不相傷，[5]故德交歸焉。[6]

注釋

1. 小鮮：小魚。
2. 莅：同“蒞”，臨。
3. 神：靈驗。
4. 非：不但的意思。
5. 兩不相傷：“兩”指鬼神、聖人與人。
6. 交：共，都。歸焉：歸於此。焉，於此。

串講

治理大國，就像煎小魚，不要常常去攪動它，它才能完好而鮮美。

以“道”的原則來治理天下，那些鬼怪就不靈驗了。並不是鬼怪沒有靈異，是這些靈異的神鬼不會傷害人。並不只有神鬼不傷害人，聖賢之人也不傷害人。正是由於神鬼和聖人賢者都不傷害人，所以他們的德性都能在此顯現出來。

評析

本章論述自然無為之道運用於治理國家的效果和作用。先以烹魚為喻，指出治國的根本在於行無為之政；復論行無為之政，則“大道”行於天下，鬼神及宗教失去了意義，人民和樂幸福，國家長治久安。

“治大國，若烹小鮮”是老子的名句，內蘊深刻的政治哲理。首先，這句話表現了治理國家的聖人“無為而無以為”的心態；不矜持，不執滯，既信守無為之道，又不執滯於無為之道，以自然的平常之心治理國家。其次，這句話表達了行無為之政的必要性。《韓非子・解老篇》云：“事大眾而數搖之，則少成功；藏大器而數徙之，則多敗傷；烹小鮮而數撓之，則賊其宰；治大國而數變法，則民苦之。是以有道之君貴虛靜而重變法”，準確地闡釋了老子這句名言的政治內涵。而《詩・檜・匪風》“毛傳”的解釋更為簡潔易懂：“烹魚煩則碎，治民煩則散，知烹魚則知治民也。”去除煩苛的政刑，以清靜無為之道安民，是治國理政的根本。

第二段是論述行無為之政的效果。在老子生活的時代，鬼神和宗教在世人的生活中有着特別重要的作用。神道設教、以教輔政是上層統治者治理國家的重要方式，祖先祭祀、鬼神崇拜在下層人民中也廣泛盛行。老子認為，在以自然無為治理的國家中，鬼神不再被人們需要和重視，人們都能順應自然無為之道而生活，精神上獲得了充分的自由。在這樣的社會中，人們聽從於“道”，順應於自然，神道設教、鬼神崇拜失去了原有的意義。在“大道”盛行的社會中，不論是世間的“聖人”、統治者，還是陰間的鬼神，都不再干擾、侵犯人們的正常生活。這樣，人們就能過上和樂幸福、自由安寧的生活。

六十一章

大國者下流，[1]天下之交，[2]天下之牝。[3]牝常以靜勝牡，[4]以靜為下。[5]

故大國以下小國，[6]則取小國；[7]小國以下大國，則取大國。故或下以取，[8]或下而取。[9]大國不過欲兼畜人，[10]小國不過欲入事人。[11]夫兩者各得其所欲，大者宜為下。[12]

注釋

1. 下流：指低窪積水之處。
2. 交：匯集、匯總，比喻政治上的歸附。
3. 牝：雌性。
4. 牡：雄性。
5. 以靜為下：因為牝寧靜而且自居其下。下：謙下。從“大國者下流”至“以靜為下”各句，諸本文字多有參差，蔣錫昌曰：“此文諸本紛異，以誼求之，當仍以王本為長也。”張松如又云：“此六句似應以兩句為一組，‘交’字作交配、交媾之意，則文暢義顯。”本書從王弼本。
6. 以下小國：意思是以謙卑的態度對待小國。
7. 取小國：贏得小國的信賴。取：通“聚”，保聚。
8. 以取：以聚人。
9. 而取：聚於人。
10. 兼畜人：把人聚在一起加以養護。兼：兼併、合併，聚集。畜：飼養、養護。

11. 入事人：指侍奉人，意思是取容於大國或侍奉大國。
12. 宜為下：應該謙卑處下。

串講

大的邦國好比江河的下游是天下水流交匯的地方一樣，是各個小方國爭相歸附的國家，它應該具有天下物類中雌性所具有的品性。雌性常以其柔靜而勝過雄性的剛強，因其柔弱安靜，所以顯得謙和卑下。

所以大國以謙和卑下的態度對待小方國，就會贏得小國的歸順；而小國如能以謙和卑下的態度對待大國，就會為大國所接納。所以有的以謙和卑下取得信任，有的以謙和卑下被接納。大國的目的就是要兼併小國，小國的目的就是要取容於大國，兩者的目的都實現了。比較而言，大國更應該採取謙和卑下的態度。

評析

本章闡釋大國與小國相處的原則是持守謙下。老子強調大小國之間能否和平相處，關鍵在於大國的態度。在“國際”政治關係中，大國國力強盛，政治上處於優勢，只要它不去侵略別的小國，大小國之間就不會出現暴力和反抗，也不會出現侵略與反侵略，社會就會安定，人民就能享受太平。這種和平安定的政治理想尤其要求大國統治者能恪守“守弱、謙下”的處事原則。“大國者下流，天下之交，天下之牝。牝常以靜勝牡，以靜為下”，張舜徽先生釋云：“《老子》所云‘大邦者下流’，乃取譬於江海。江海取下，故百川納之；大邦處下，則天下歸之。牝猶母也，母能育養人。此云‘天下之牝’，謂為天下所會聚也。”大國如果能有江海一樣處下的胸懷，能有牝母一樣寧靜、謙下的智慧，不僅能取得國與國之間關係的和諧，而且還能使自己獲得小國的擁戴，因而成為天下共主，無形之中使自己取得政治上更大的優勢，使國力更加強盛。老子描述這種情形是：“故大國以下小國，則取小國；小國以下大國，則取大國。故或下以取，或下而取”。蘇轍曰：“天下之歸大國，猶眾水之趨下流也；眾動之赴靜，猶眾高之赴下也。大國能下，則小國附之；小國能下，則大國納之。大國下以取人，小國下而取於人。”在這樣的“國際關係”中，大國總是能處處取得政治上的主動。因此，從表面上看，各國關係的處理好像是大國對小國謙下，而實際上是大國獲得了更多的利益。

最後，老子再次強調：“大國不過欲兼畜人，小國不過欲入事人。夫兩者各得其所欲，大者宜為下”。吳澄釋此句云：“大國下小國者，欲兼畜小國而已；小國下大國者，欲入事大國而已。兩者皆能下，則大小各得其所欲。然小者素在人下，不患乎不能下；大者非在人下，或恐其不能下，故曰大者宜為下。”老子的主張與孟子以仁政撫有天下的政治理想極為相似。《孟子·梁惠王下》云：“惟仁者為能以大事小，是故湯事葛，文王事昆夷；惟智者為能以小事大，故大王事獯鬻，句踐事吳。以大事小者，樂天者也；以小事大者，畏天者也。樂天者保天下，畏天者保其國”。大國的謙下對大國和小國都具有特別的意義。老子的告誡實為春秋戰國諸強爭霸，列國競雄這樣一種政治背景下的大國提供了一種充滿政治智慧的選擇和策略。

六十二章

道者，萬物之奧，[1] 善人之寶，不善人之所保。[2]

美言可以市尊，[3] 美行可以加人。[4] 人之不善，何棄之有？[5] 故立天子，[6] 置三公，[7] 雖有拱璧以先駟馬，[8] 不如坐進此道。[9] 古之所以貴此道者何？[10] 不曰：求以得，[11] 有罪以免邪？[12] 故為天下貴。

注釋

1. 奧：深，藏，不容易被看到的地方。帛書甲乙本均作“注”。《說文》曰：“注，灌也。”引申為歸聚義。意思是道為萬物之所灌注也。
2. 保：保持。
3. 市：取。此句連同下句，王弼本原作“美言可以市，尊行可以加人”。《淮南子》引作“美言可以市尊，美行可以加人”。
4. 加：逾越，超越，提升。
5. 何棄之有：哪有把它捨棄的道理？
6. 立天子：天子即位。
7. 三公：古代天子以下，朝廷裏三個最重要的職位，他們輔助天子掌握治國的大權，一般指太師、太傅、太保。
8. 璧：玉製的寶器。拱璧：意思是雙手捧着寶璧。駟馬：四匹馬駕的車，古代只有天子、大臣才能乘坐。“拱璧”在先，“駟馬”在後，這是古代一種隆重的獻奉儀式。
9. 進：古代地位低的人送給地位高的人禮物。這句話的含義是，“道”是最尊貴的，與其乘坐四匹馬拉的車“拱璧”相送，還不如坐着去進“道”，把“道”當作禮物來奉獻。

10. 貴此道：以此道為貴。

11. 求以得：以求則得，即有求就能得到。

12. 有罪以免邪：意思是有罪的人得到“道”就可以免罪。

串講

“道”是萬物的最為隱秘的主宰。既是好人所珍貴的也是不善之人的護身符。

美好的語言可以博得尊敬，美好的行為可以超越人的平庸。天下不善的人怎麼能捨棄“道”呢？所以說天子即位，重臣執政，縱然有“拱璧”在先，“駟馬”在後，這種古代隆重的獻奉禮儀，還不如坐着去體道，把“道”當作禮物來奉獻。自古以來，人們之所以對“道”這樣重視是為什麼呢？難道不是說，以“道”行天下就可以求善得善，有罪可免嗎？所以說“道”是天底下最可貴的。

評析

本章再論“道”的作用和價值。“道者，萬物之奧，善人之寶，不善人之所保”，全面概括出“道”的可貴性。《釋名·釋宮室》云：“室中西南隅曰奧，不見戶明，所在秘奧也。”“奧”，是一種隱秘的藏物之所，“萬物之奧”揭示出“道”所擁有的、世間其他可貴之物所不具備的特殊品性。張舜徽先生說：“善人以道為寶，持之勿失；不善人亦假此以自全其身也。”在“道”面前，世人一律平等，它既保護善良之人，也不拋棄不善之人，有求必應，有過必除，比其他任何財富都顯得更為寶貴。“不善人之所保”，尤其體現出“道”的不同尋常。《老子》二十七章云：“是以聖人常善救人，故無棄人；常善救物，故無棄物”，與本章所謂“人之不善，何棄之有”，意義前後啣接，相互發明。“無棄人”、“無棄物”，“聖人常善救人，不以其不善而棄之”，正是本章老子闡述“道”之可貴所特意強調的重點。

“道”之珍貴還在於“求以得，有罪以免”。善人化於“道”，則求善得善；有罪者化於“道”，則免惡入善。“道”並不只是偏袒善良之人，亦能輔佐不善之人，任何人只要一心向道，領悟“道”之精義，即使有罪也可以被免除。《莊子·天下篇》云：“人皆求福，己獨曲全，曰苟免於咎”；《文子·符言》亦云：“道不可以勸就利者，而可以安神避害”，與上述老子的思想一脈相承。“道”是如此之珍貴，體道、守道之重要性自不待言。人之尊莫過君主，物之貴莫過拱璧、駟馬，然而老子以為“故立天子，置三公，雖有拱璧以先駟馬，不如坐進此道”，人世間任何名位、財富、權勢都不是根本所在，都不如守“道”重要。即使是天子三公，擁有拱璧駟馬，還不如懷着清靜無為之道。“道”比任何財富都更為珍貴。

六十三章

為無為，[1]事無事，[2]味無味。[3]（是以聖人欲不欲，不貴難得之貨；學不學，復眾人之所過，以輔萬物之自然而不敢為。）[4]

大小多少，[5]（報怨以德。[6]）圖難於其易，[7]為大於其細。[8]天下難事，必作於易；天下大事，必作於細。[9]是以聖人終不為大，[10]故能成其大。（合抱之木，生於毫末；九層之台，起於累土；千里之行，始於足下。）[11]

夫輕諾必寡信，[12]多易必多難。[13]是以聖人猶難之，[14]故終無難矣。

注釋

1. 為無為：以"無為"為"為"，即以無為的方式去作為。
2. 事無事：以"無事"為"事"，即以無事的態度去做事。
3. 味無味：以"無味"為"味"，即以無味的感覺去品味。
4. 此五句各本原在六十四章，黃瑞雲認為移入本章意思更為連貫。
5. 大小多少：歷代注家理解不一，主要有以下三種解釋：一、大的看着小，多的看着少，小的看着大，少的看着多；二、以小為大，以少為多；三、能大者必能小，能多者必能少（林希逸語）。
6. "報怨以德"此四字，按馬敘倫、嚴靈峰、陳鼓應的意見應該移入七十九章。
7. 圖：謀劃，圖謀。圖難：就是想辦法克服困難。
8. 為大：做大事。

9. 作：從……開始。

10. 終：始終，永遠。不為大：不自以為大。

11. 此六句原在六十四章，黃瑞雲認為當移入本章此處。

12. 諾：承諾，答應。輕諾，意思是輕易允諾，隨便答應。寡：少。寡信，不守信用。

13. 多易：太容易。多難：很困難。

14. 難之：以之為難。

串講

以不刻意去作為的態度去行動，以自然無事的態度去做事，以沒有預設的口味去品味事物，就是得“道”的態度。（所以聖人的慾望就是沒有慾望，他不以稀有難得的事物為貴；把沒有學問當作最大的學問，以補救眾人經常犯的錯誤，以此去輔助萬物的自然發展而不敢刻意作為。）

大小和多少之間是可以互相轉化，（以恩德去報答怨恨）。圖謀困難的事要從容易入手，實現遠大的事要從細微處入手；天下的難事必然從容易的做起，天下的大事，也必然從細微處做起。所以聖人始終不刻意去做大事，才能成就巨大的事業。（那些你張大雙手也抱不住的粗壯大樹，是從細小的嫩芽開始生長的；九層高的樓台是由一筐筐土壘築起來的；千萬里的遠行是從腳底下的路開始的。）

所以說那些輕易就許諾的人往往缺少信用，看上去非常容易的事往往做起來困難更多。因此聖人遇事謹慎小心，慎之重之而不視之太易，所以最終也就沒有困難了。

評析

本章旨在闡釋“無為而無不為”的道理。“無為而無不為”首先要求得“道”之人立身行事必須遵守的原則是：“為無為，事無事，味無味，大小多少”。王弼注曰：“以無為為居，以不言為教，以恬淡為味，治之極也。”奚侗釋云：“道至虛無為，能致虛極，是為無為也；道至靜無事，能守靜篤，是事無事也；道至淡無味，能安淡泊，是無味也。”老子所謂“無為”，並非無所作為，而是以“無為”求其“無不為”。“事無事”、“味無味”，即守靜篤、安淡泊，都是“無不為”意義的補充和引申。“是以聖人終不為大，故能成其大”，是“無

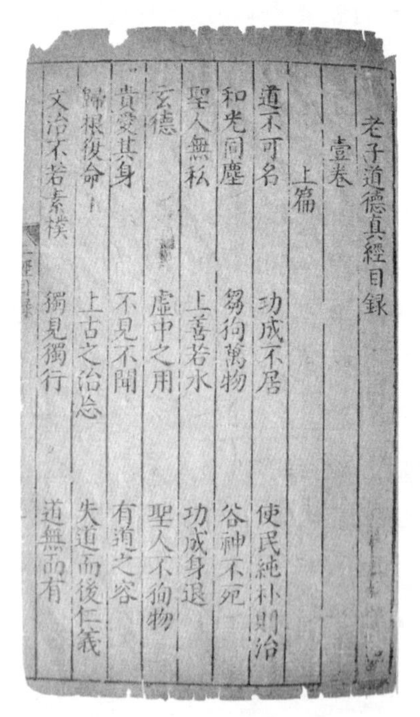
老子道德真經目錄
壹卷
上篇
道不可名　功成不居　使民純朴則治
和光同塵　芻狗萬物　谷神不死
聖人無私　上善若水　功成身退
玄德　虛中之用　聖人不徇物
貴愛其身　不見不聞　有道之容
歸根復命　上古之治忽　失道而後仁義
文治不若素樸　獨見獨行　道無而有

明陳懿典著《老子合刻精解全編》

為而無不為”的必然結果。老子接着闡釋出現這種結果的具體原因和達到這種效果的方法，即“圖難於其易，為大於其細。天下難事，必作於易；天下大事，必作於細。是以聖人終不為大，故能成其大”。吳澄《道德真經注》釋云：“所以得遂其無為者，能圖其難於易之時，為其大於細之時。天下之事，始易而終難，始細而終大。終之難起於始之易，終之大起於始之細。故圖之為之於其易細之始，則其終可不至於難，可馴至於大，而不勞心勞力，所以能無為也。若不早圖之，急為之於其始，則其終也，易者漸難，細者不大，心力俱困，無為其可得乎？”處理難和大的事情必須從易和細的地方着手，處理易和細的事情又切不可掉以輕心，粗枝大葉。大事、難事從根本上講都是小事、易事逐步積累而成，真正的智者均不會輕視一切為人所忽略的行為細節，“無為之為”正是從常常被人所忽略的細微處開始的。

最後，老子指出聖人無難的原因在於“猶難之，故終無難”、“輕諾必寡信，多易必多難”。凡是輕易處處許諾的人，把任何事情都看得簡單容易，缺乏認真縝密的思考，必然會難以實現自己最初的諾言，最終為事所困。聖人則不然，遇事謹慎小心，慎之重之而不視之太易，故終無難。陳鼓應先生說：“‘難之’是一種慎重的態度，慎密周思，細心而為。”其實，“難之”更可以理解為一種方法，一種途徑，通過它即可以通往老子所設想的“無為而無不為”的理想境界。

六十四章

其安易持，[1]其未兆易謀，[2]其脆易泮，[3]其微易散。[4]為之於未有，[5]治之於未亂。[6]

（合抱之木，生於毫末；[7]九層之台，起於累土；[8]千里之行，始於足下。為者敗之，執者失之。[9]是以聖人無為故無敗，無執故無失。）

民之從事，常於幾成而敗之。[10]慎終如始，[11]則無敗事。（是以聖人欲不欲，[12]不貴難得之貨；[13]學不學，[14]復眾人之所過，[15]以輔萬物之自然而不敢為。[16]）

注釋

1. 安：穩定，安定，未亂之時。持：維持。
2. 兆：開始，萌發。謀：籌劃。
3. 脆：柔脆，指細微之時。泮：消融，開化，分解。傅奕本、范應元本作“判”，河上公本、景龍碑等作“破”，《說文》：“判”，分也。“泮”、“判”古通用。
4. 散：消散，打散。
5. 為：做。未有：尚未發生。為之於未有：在事情還沒有發生前就把該處理的問題解決好。
6. 治之於未亂：當動亂還沒有發生就進行治理。
7. 毫末：細小的萌芽。
8. 累土：有兩種解釋：一、低土；嚴靈峰說：“累土，地之低者也。”二、一堆土。林希逸說：“一簣之土。”高亨說：“‘累’當讀蔂，土籠也。起於累土，猶言起於簣土也。”陳鼓應注：“土籠是盛土的用具，累土即一筐土”。

9.“為者敗之，執者失之”二句已見於二十九章。

10. 幾：接近，幾乎。

11. 慎：慎重，謹慎。慎終如始，意思是在結束時就像開始一樣慎重。

12. 欲不欲：不以欲為欲。陳鼓應認為從本句開始往下各句，與上文文義無關，顯是他章錯入。

13. 貴：珍視，看重。難得之貨：指不容易得到的珍貴之物。

14. 學習常人所不學。第一個“學”，意思是學習；第二個“學”，意思是學問。

15. 復：補救，挽救。

16. 輔：輔助，協助。“以”，帛書甲、乙本作“能”。

串講

局面在穩定的時候容易維持，事情在沒有萌芽的時候容易應付，分歧在細微之時容易消融，錯誤在微小的時候容易消除。因此要在事情還沒有發生時處理它，要在形勢還沒有發生動亂的時候治理它。

（那些你張大雙手也抱不住的粗壯大樹，是從細小的嫩芽開始生長的；九層高的樓台是由一筐筐土壘築起來的。千萬里的遠行是從腳底下的路開始的。刻意作為的人往往失敗，執着於某事某物的人往往最終會失去他所珍視的東西。聖人從不刻意去作為，所以他就不會失敗；聖人不執着於事物，所以他也不會有所失去。）

百姓做事，常常在接近成功時失敗。做事時如果能在快結束時也能像開始時一樣保持謹慎小心的態度，也就不會有失敗的事情了。（聖人的慾望就是沒有慾望，所以他不以稀有難得的事物為貴；把沒有學問當作最大的學問，以補救眾人經常犯的錯誤，以此去輔助萬物的自然發展而不敢刻意作為。）

評析

本章內容分三個層次。首先論述“為之於未有，治之於未亂”的道理。上章闡釋了世間萬物的發展變化往往起始於枝節毫末的細微變化，體道者應該懂得圖難於易，為大於細，難作於易，大作於細，終不為大，故成其大的道理。這就意味着任何事物的發展變化都有一個逐步積累的過程。而事物的發展變化同時也包含着好壞兩種方向，任何一種趨勢的發展都會遵循由少到多、由小到大的規律。因此，本章老子強調“其安易持，其未兆易謀，其脆易泮，其微易散”、“為之於未有，治之於未亂”。奚侗《老子集解》釋云：“凡事預則立，持危定傾，當及國家安寧；禍亂當無朕兆之時，其幼功也至易。譬之物脆弱微細者，吾欲分解而析之，事至易也。至於堅實壯盛，則難矣。”做好一件事情應該從起始處開始積累，慎於事先，才能永遠立於不敗之地。同樣，壞的事情也往往會從小開始，故治亂之道在於防微杜漸，防患於未然。接着，老子用三個比喻構成排比對這一道理作進一步的闡釋和說明。“合抱之木，生於毫末；九層之台，起於累土；千里之行，始於足下”，與《荀子·勸學篇》所謂“積土成山”、“積水成淵”、“不積跬步，無以致千里；不積小流，無以成江海”一樣，都是主張做事要耐心地一點一滴去完成，稍有鬆懈就可能前功盡棄，功虧一簣。

其次論述“民之從事，常於幾成而敗之。慎終如始，則無敗事”。高延第《老子證義》釋云：“事當垂成，人情易放，精力多疲，稍有疏忽，必致危殆，棄其前功。宦怠於有成，病加於小愈，禍生於懈惰，比比然也。當加意保持，勿至幾成而敗。”做事要持之以恒，尤其是在事情快要成功之時，要更加謹慎，不能懈怠，如果缺乏韌性，不能保持初始時的熱情，定當失敗無疑。“幾於成而敗之”、“ 慎終如始”至今仍然具有極其重要的警策作用。

最後總結聖人處事當“欲不欲，不貴難得之貨；學不學，復眾人之所過，以輔萬物之自然而不敢為”。陳鼓應、黃瑞雲等眾多學者均認為此段與本章內容義不相關，顯係他章錯入。竊以為本句同前兩個層次的論述還是存在內容上的邏輯聯繫。焦竑《老子翼》引王元澤注云：“不欲之欲，非無慾也，欲在於不欲耳。故不貴難得之貨而已。”又云：“不學之學，非無學也，所學在於不學耳。以復眾人之所過故也。眾人逐末多事，聖人以不學之學，救其過而反之道。輔自然者，莊子所謂反以相天是也，為之則以人滅天矣，故不敢為。”這顯然是在說按照自然規律辦事的重要。“為之於未有，治之於未亂”、“於幾成而敗之”、“慎終如始”，都是在強調“初始狀態”的重要，而“初始狀態”正是老子一再申說的自由狀態、自然狀態和原始狀態。“欲不欲”、“學不學”、“復眾人之所過”實質上就是輔佐自然。本章主旨的理論來源又重新指向了“自然”和“無為”。

六十五章

古之善為道者，[1]非以明民，[2]將以愚之。[3]民之難治，[4]以其智多。[5]故以智治國，國之賊；[6]不以智治國，國之福。

知此兩者亦楷式。[7]常知楷式，是謂玄德。玄德深矣，遠矣，與物反矣，[8]然後乃至大順。[9]

注釋

1. 為道：意思是用“道”的原則來治理天下。
2. 明：精巧，聰明。
3. 愚：淳樸，質樸。
4. 民之難治：老百姓難以被統治的原因。
5. 智多：多智巧偽詐，含有貶義。景龍本、敦煌辛本均作“多智”，意義相同。
6. 賊：傷害，禍害。
7. 兩者：指上文所講“非以明民，將以愚之”及不以智治國兩種治國方式而言。楷式：通“稽”，意思是法式，法則。帛書乙本“楷式”作“稽式”。亦：即。
8. 反：有兩種解釋：一、相反；二、“反”通“返”，王弼注云：“反其真也。”即返歸於真樸。林希逸注云：“反者，復也，與萬物皆反復而求其初。”
9. 大順：自然。意思是與“道”的原則完全吻合乃最大的通順。

串講

古時候善於行“道”的人，不是用“道”來使百姓聰明起來，而是用“道”使百姓真淳質樸。百姓之所以難以治理，就是因為他們擁有智巧心機。所以用智巧心機去治理國家，是國家的禍害；不用智巧心機去治理國家則是國家的福澤。

應該知道這兩種治國方法是一種自然法則。永遠認識這種自然法則就叫做微妙深奧的德性。微妙深奧的德性是多麼精深宏遠啊，它與萬物同返歸於古樸，這樣才能達到與“道”相合而非常順暢的境界。

評析

本章明確提出“非以明民，將以愚之”、“不以智治國”的政治主張。老子這裏所謂“愚民”並非指愚弄或使民愚蠢、愚昧，而是指使民無知無慾，使民回復到自然原始狀態，使天下返樸還淳。高延第《老子證義》云：“愚之，謂返樸還淳，革除澆離之習，即‘為天下渾其心’之義，與秦人燔詩書、愚黔首者不同。”張舜徽先生《老子疏證》亦云：“自來解《老子》者，昧於斯旨，乃謂為古代愚民政策所自出，而以秦世燔《詩書》、愚黔首比傅之，惑也。顧歷代人君，上託斯語而行愚民之政策者，固比比皆是，然非《老子》原意所在也。”

《老子》七十五章云：“民之難治，以其上之有為，是以難治。”《淮南子·詮言篇》云：“獨任其智，失比多矣；故好智，窮術也。”《淮南子·覽冥篇》云：“以智為治者，難以持國。”《韓非子·揚權篇》云：“聖人之道，去智與巧。”《呂氏春秋·任數篇》云：“至智棄智。”這些都與本章所謂“民之難治，以其智多”意義相同。老子認為，治理天下之難在於統治者自以為才智超群，處處炫耀，剛愎自用，而手下群臣莫不阿諛奉承，競相機巧變詐以逢迎其主，從而使天下不治。所以說：“以智治國，國之賊；不以智治國，國之福”。顯然，老子本章所講“愚之”，既指向普通老百姓，“愚之”即“愚民”，意思是使民去智，使民淳樸，使民自然；同時也指向為君者自身，即統治者當以愚自處、以無為而治。最後老子又說：“知此兩者亦楷式。常知楷式，是謂玄德。玄德深矣，遠矣，與物反矣”。“此兩者”承上文“非以明民，將以愚之”以及“不以智治國”二者而言，老子指出這種深奧的道理不為常人所測，深遠而不淺近，故名之謂“玄德”。正是“玄德”的隱晦、深遠，為後世帶來了理解的歧義。歷代諸多注家將本章主旨理解成老子主張採取愚民政策，是一種陰險狡詐的統治權術，並藉此進行批判，自當是對老子原意的誤解和曲解，應該予以糾正。

六十六章

江海所以能為百谷王者，[1]以其善下之，[2]故能為百谷王。

是以聖人欲上民，必以言下之；[3]欲先民，必以身後之。[4]是以聖人處上而民不重，[5]處前而民不害。[6]是以天下樂推而不厭。[7]以其不爭，故天下莫能與之爭。[8]

注釋

1. 百谷：《說文》云："泉出通川為谷。"百谷即百川。王：歸往。《說文》云："王，天下所歸往也。"
2. 下之：在河流的下方。
3. 以言下之：用言辭對人民表示謙卑。
4. 先民：處民之先，意思是領導人民。以身後之：處身於人民之後。
5. 重：累，負擔。
6. 害：妨礙。
7. 推：推崇，尊重。厭：厭棄，厭惡。
8. "以其不爭"，傅奕本作"不以其不爭"。

串講

江海之所以能成為一切小河流歸往的所在，是因為它總是處於下游，所以能成為一切河流的融匯之處。

所以聖人想要處在百姓之上統治百姓，必須在言語上對百姓謙和卑下；想要處在百姓之前成為領導者，必須把自身的利益置於百姓利益之後。這樣的聖人處在百姓之上進行統治，而百姓不會有負擔，領導百姓而百姓不覺得會妨礙他們的利益。這樣天下人都樂意推崇其做領袖而不感到厭煩。正是因為他不與人相爭，所以普天下沒有人能爭得過他。

評析

本章以江海為喻從統治者的角度再次闡釋謙下的重要。老子喜歡用水作比喻，七十八章云："天下莫柔弱於水，而攻堅強者莫之能勝"，以水柔之特點說明以柔克剛的道理。八章云："水善利萬物而不爭，居眾人之所惡，故幾於道"；三十二章云："譬道之在天下，猶川谷之於江海"；本章所謂"江

大宋重修太清宮之碑碑首

海所以能為百谷王者，以其善下之，故能為百谷王”。以水“居下”、“包容”、“不爭”的特點說明謙下之重要。張舜徽先生釋此句云：“此言為人君者，宜謙虛自守，卑弱自持，法江海之居下而為百谷所歸往也。古之王公，自稱孤寡不穀，是以言下之也；不敢為天下先，是以身後之也。故處上處前而天下不厭惡，蓋由其貶抑退遜，在能不爭，而天下之人亦莫能與之爭。”統治者擁有無上的權力，位居社會的上層，從地位上就已經給人民造成了心理壓迫感。而如果此時再不注意謙卑、居下，反而肆意妄為，威勢凌人，必然會對人民構成危害，同時也會使自己失信於民，得不到百姓的擁戴，最終迷失自我，失去天下。因此，老子勸誡聖人要從言、行兩個方面取法水之自然品性，即“以言下之”、“以身後之”。需要說明的是，這種謙卑、退讓、居下的態度，並不是形式上的裝模作樣，而是要內化成一種人的品行。水之居下與不爭是一種真正意義上的自然無為，它沒有任何預設的慾求，既不是因為欲上而居下，也不是因為欲爭而不爭。對於真正的聖人而言，也不應該有除百姓之外的任何私利，聖人能在民前，能居民上，也不是由於其本人的一己私利，而是來自於百姓擁戴的自然行為。尚能如此，本章最後所言“以其不爭，故天下莫能與之爭”的理想現實便能真正得到落實。

六十七章

天下皆謂我道大，似不肖。[1]夫唯大，[2]故似不肖。若肖，久矣其細也夫。[3]

我有三寶，持而保之。[4]一曰慈，[5]二曰儉，[6]三曰不敢為天下先。慈故能勇，[7]儉故能廣，[8]不敢為天下先故能成器長。[9]今舍慈且勇，[10]舍儉且廣，舍後且先，死矣。夫慈，以戰則勝，[11]以守則固。[12]天將救之，以慈衛之。

注釋

1. 肖：像，相似。不肖，意思是不像任何具體事物。
2. 夫唯大：正因為廣大。河上、嚴遵、景龍、開元、景福、龍興碑本及六朝寫本、唐寫本均作"我大"，中間無"道"字。帛書乙本亦無"道"字。
3. 若肖：假如它像什麼具體的東西。久矣：早，很久以前。本句的意思是，假如它像什麼具體事物，就不會如此廣大，早就很渺小了。
4. 持：持有，掌握。保：保持，保存。之：指三寶。
5. 慈：寬容、慈愛。
6. 儉：嗇，引申為退縮，保守。陳鼓應釋為"有而不盡用。和五十九章'嗇'字同義"。
7. 慈故能勇：仁慈、寬容所以能勇敢。
8. 儉故能廣：儉嗇所以能寬廣。
9. 器：器具，指萬物。器長：萬物的首長。
10. 且：取。

11. 以戰則勝：把它用之於戰爭即能取勝。

12. 守：守衛，指用“慈”來守衛。

串講

天下人說我的“道”非常深奧，深奧得不像任何具體的東西。正是由於非常深奧，所以才與具體事物不相似。“道”如果像一般事物，它就不會如此廣大，早就變得渺小了。

我有三件珍視的東西一直保持着：一個是慈愛、寬容，一個是節儉，一個是不敢為天下先。仁慈、寬容所以能勇敢；實行儉約，所以能寬廣；做到不敢先於天下人的利益而去爭一己私利，所以能成為天下人的領袖。如果捨棄仁慈談勇敢，捨棄儉嗇談寬廣，捨棄退讓談爭先，就必然會走向死路。仁慈這件法寶，用之於戰爭，就能勝利，用之於守衛，就能穩固。上天要救助誰，就會用仁慈去守衛誰。

評析

本章主要闡釋“三寶”及其作用。道大無窮，不像任何具體事物。人要保持與“道”的親近，老子提出“慈”、“儉”、“不敢為天下先”三寶。“慈”，陳鼓應《老子注譯及評介》解釋為“愛心加上同情感”，“是人類友好相處的動力”，“老子身處戰亂，目擊暴力的殘酷面，深深地感到人與人之間慈心的缺乏，因而極力加以闡揚”。黃瑞雲不同意此觀點，認為用儒家的仁慈、慈愛和現代的人道主義去解釋老子本章所謂“慈”，是對老子的誤解。“慈”，應理解為老子反復強調的“柔弱勝剛強”。黃說極是。高延第《老子證義》釋“慈，故能勇”

云：“至柔馳騁至剛，故能勇”；張舜徽先生釋“三寶”云：“慈謂柔，儉謂嗇，不敢為天下先，謂不先物為也”，又釋“夫慈，以戰則勝，以守則固”云：“此言柔弱能勝剛強也。譬之應戰，尚可以柔克剛，以弱制強，推之其他，概可知也”。“儉”，王弼注云：“節儉愛費，天下不匱，故能廣”，不少注家也將“儉”釋為節儉。黃瑞雲亦認為“儉”釋為節儉也是對老子的誤解。其《老子本原》云：“從王弼開始，老子的‘儉’即被誤解。老子確實反對奢侈，自然就主張節儉，但不體現在所謂‘三寶’的‘儉’中。五十九章云：‘治人事天莫若嗇。夫唯嗇是謂早服，早服謂之重積德，重積德則無不克，無不克則莫知其極，莫知其極可以有國，有國之母可以長久。’老子對‘嗇’的闡述，完全可以移用於‘儉’，而決非‘節儉愛費’之意。”“不敢為天下先”，與六十六章所謂“欲先民必以身後之”意義相同，與老子一再強調的“謙下”、“不爭”意思連貫，一脈相承。以“無為”而達到“無不為”，以“不敢為天下先”而達到“為天下先”，也是老子慣用的思維方式。簡單地將“不敢為天下先”理解為消極退讓同樣也是對老子原意的誤解。

六十八章

善為士者不武，[1]善戰者不怒，[2]善勝敵者不與，[3]善用人者為之下。[4]是謂不爭之德，[5]是謂用人之力，是謂配天，古之極。[6]

注釋

1. 士：將帥。不武：不逞勇武。
2. 怒：憤怒。
3. 不與：不爭。
4. 下：謙下。為之下：甘居其下，
5. 不爭：不與人爭。
6. 配天：符合自然的法則。極：標準，準則。俞樾《諸子平議》認為：“疑‘古’字衍文也。‘是謂配天之極’六字為句，與上文‘是謂不爭之德，是謂用人之力’，文法一律。其衍‘古’字者，‘古’即天也。”《周書‧周祝》篇曰：“天為古”。黃瑞雲《老子本原》則云：“‘古’無‘天’義。‘是謂不爭之德，是謂用人之力’，兩句平列。‘是謂配天，古之極’，為全章總括，與上二句文法不必一律。”黃說可從。

串講

善於做將帥的人不輕易動武，善於打仗的人不容易被敵人激怒，善於勝敵的人會不戰而勝，善於用人的人對別人很謙和卑下。這是與人無爭的美德，也是善於用人的能力所在，更是符合自然天道的法則。

評析

本章以兵事為喻專門探討“不爭之德”。“不爭之德”為老子所特別崇尚，《老子》全書曾多次講到“不爭”。三章：“不尚賢，使民不爭”；八章：“水善利萬物而不爭，處眾人之所惡，故幾於道”、“夫唯不爭，故無尤”；二十二章：“夫唯不爭，故天下莫能與之爭”；六十六章：“以其不爭，故天下莫能與之爭”；七十三章：“天之道，不爭而善勝”；七十七章：“聖人之道為而不爭”；八十一章：“天之道利而不害，聖人之道為而不爭”。各次提到“不爭”都是從不同角度論述“不爭”的重要。本章以用兵為喻，形象、具體，論述也更為全面。“善為士”、“善戰”、“善勝敵”、“善用人”本是用兵作戰時取勝的關鍵，而這些關鍵性的因素要真正起到作用，關鍵的關鍵還是在於“無為”，在於“不爭”。“不武”、“不怒”、“不與”、“為之下”正是“無為”和“不爭”的具體表現。張舜徽先生釋本章云：“首三句取譬於用兵者不以威武氣勢勝人，卒能克敵制強。未及交兵接刃，不戰而能屈人之兵，即‘勝敵不與’之義也。為人君者，貴在任人之才而不任己之智，清虛自守，卑弱自持，即‘用人為之下’之旨也。非有不爭之德，曷由臻此？故末語總結之。”不逞強，不激怒，避免正面衝突，善於利用別人的力量，以不爭而能達到爭的目的，老子認為這是符合天道的古老的準則。末句“是謂不爭之德，是謂用人之力，是謂配天，古之極”，是對“不爭之德”全面的總結和評價。

六十九章

用兵有言：[1]“吾不敢為主而為客，[2]不敢進寸而退尺。[3]”是謂行無行，[4]攘無臂，[5]執無兵，扔無敵。[6]

禍莫大於輕敵，輕敵幾喪吾寶。[7]故抗兵相加，[8]哀勝矣。[9]

注釋

1. 用兵有言：用兵打仗的人有這樣一種說法。
2. 為主：主動進攻，採取攻勢。為客：不得已而應敵，採取守勢。
3. 此句意思是，不敢前進一寸，卻寧願後退一尺。
4. 行：行列，陣勢。第一個“行”是動詞，即排兵佈陣，擺陣勢；第二個“行”是名詞，意思是行列，陣勢。
5. 攘：舉起。攘無臂：雖然要奮臂，卻沒有臂膀可舉。
6. 兵：兵器。執無兵：雖然有兵器，卻像沒有兵器可持。扔：對抗，進攻。扔無敵：雖然面臨敵人，卻像沒有敵人可赴。
7. 寶：即六十七章所謂“慈、儉、不敢為天下先”“三寶”。“禍莫大於輕敵，輕敵幾喪吾寶”句，帛書甲、乙本“輕敵”作“無敵”，“幾喪”作“近亡”。
8. 抗兵相加：兩軍相當。加，傅奕本、敦煌辛本及帛書甲、乙本均作“若”。王弼注云：“‘抗’，舉也；‘加’，當也。”
9. 哀：悲憤。

串講

用兵打仗的人有這樣一種說法：“我不敢主動進攻而寧願

採取守勢，不敢前進一寸寧願後退一尺。”這就是排兵佈陣而不見軍列，奮臂上舉卻不見手臂，持有兵器卻看不見兵器在哪，雖然面臨敵人，卻如入無人之境。

沒有比輕敵更大的禍患了，輕視敵人就幾乎喪失了我所說的三個法寶（慈、儉、不敢為天下先）。所以兩軍相對，心情悲憤的一方必定會獲得最後的勝利。

評析

本章闡釋用兵之道應該以守為攻，以退為進，決不能輕敵冒進，是老子“無為”思想在戰爭中的運用。焦竑《老子翼》引呂吉甫云：“道之動常在於迫，而能以不爭勝。其施之於用兵之際，宜若有所不行者也。而用兵者有言：吾不敢為主而為客，不敢進寸而退尺，則雖兵猶迫而後動，而勝之以不爭也，而況其他乎。何則？主逆而客順，主老而客逸，進驕而退卑，進躁而退靜。以順待逆，以逸待勞，以卑待驕，以靜待躁，皆非所敵也。所以爾者，道之為常出於無為，故其動常出於迫，而其勝常以不爭，雖兵亦由是故也。誠知為常出於無為，則吾之行常無行，其攘常無臂，其扔常無敵，其執常無兵，安往而勝哉？苟為不能出於無為，知主而不知客，知進而不知退，是之謂輕敵，輕敵則吾之所謂三寶保而持之者，幾於喪矣。故曰禍莫大於輕敵，輕敵幾喪吾寶。夫唯以不爭為勝者，則未有能勝之者也。故曰抗兵相加，哀者勝矣。”

同時，本章也可以理解為老子以戰爭為喻，再次闡明“無為”的重要性。表面上看老子是在講兵事，其實老子之意本不在談兵，而在於因兵事取譬，以明柔之為用和“無為”之重要。魏源說：“與慈相反者莫如兵。故專以兵明慈之為用，而儉與不敢先皆在其中也。老子見天下方務於剛強，而剛強莫甚於戰爭，因即其所明者以喻之。使之即兵以知柔退，即柔退以反於仁慈，非為談兵而設也。”張舜徽先生繼魏源之說進一步說明：“必具此識，而後可悟《老子》之談兵，皆因事取譬，以明柔之為用，其意本為君道而發，不知者遽謂此書為兵家言，非也。”

自唐代王真著《道德經論兵要義述》以來，歷代均有《老子》是兵書的說法，現代學者也有人持相同觀點。但從《老子》全篇來看，雖然有近十處提到有關用兵和戰爭的話題，可沒有一次是講用兵作戰的專業理論，而是表達一種反戰思想以及怎樣在戰爭中貫徹“不爭”、“無為”等一系列具有普遍意義的行為法則。儘管中國古代戰爭中的戰略、戰術原則與老子的辯證法思想有諸多相通之處，但將老子這樣一種通往“眾妙之門”的“道”僅僅局限於戰爭領域，顯然是不恰當的。

七十章

吾言甚易知，甚易行。天下莫能知，莫能行。[1]言有宗，[2]事有君。[3]夫唯無知，是以不我知。[4]

知我者希，則我者貴。[5]是以聖人被褐懷玉。[6]

注釋

1. 知：理解，瞭解。行：實行。本句意思是，我的話很容易理解，很容易實行，而天下卻沒人理解，沒人實行。
2. 宗：主旨、主題。
3. 君：有“主”的意思。有君，指有所本，有所依據。
4. 無知：有兩種理解，一是指別人的不理解，另一是指自己的無知。不我知：即不知我，不瞭解我。
5. 責：效法，仿效。貴：難得，難能可貴的意思。高亨《老子正詁》讀“則”為“賊”：“賊我者貴，謂害我者皆居上位，知我者既少，賊我者又貴，故聖人被褐懷玉，求無人知，且以免禍。老子去周入秦，殆由斯故歟！”帛書甲、乙本並作“則我貴矣”，與敦煌本同，此當為原文。
6. 被：着。褐：粗布。被褐懷玉：穿着粗布衣服，懷內揣着美玉，比喻不被人瞭解。

串講

我所說的“道”很容易理解，也很容易實行。天下人卻不能理解，沒人實行。言說要有宗旨，做事要有所依據。由於人們不瞭解“道”，所以不明白我所說的。

理解我的人很少，仿效我的人更難能可貴。所以聖人就像穿着粗布衣服，卻懷揣着美玉一樣，其可貴之處很難被人瞭解。

評析

本章是老子對自己學說的總結以及對這種學說不被世人所理解、所踐行的慨歎。老子認為，“自然”、“無為”的道家學說表現為兩大特點，一方面是“易”，即“吾言甚易知，甚易行”；另一方面是“難”，即“天下莫能知，莫能行”。吳澄《道德真經注》云：“老子教人，柔弱謙下而已。其言甚易

樓觀台老子像

知，其事甚易行也。世降俗末，天下之人，莫能知其言之可貴，莫能行柔弱謙下之事者。”柔弱謙下的道理易懂易知，行動起來也不需要特殊的技能，並不難做到，但真正能理解、能重視、能實踐的人卻很少，人們追求現實慾望和世俗利益的本能造成了老子學說執行的困難。尤其在老子生活的時代，舊秩序已經被打破，新的秩序尚未建立，各地紛爭四起，處處充滿着暴力、貪婪，對老子這一套不合時宜的言論，實際上很少有人能真正理解其精髓，更沒有人願意去付諸實踐。在時代的大潮中，老子是一個特立獨行、不被人理解的孤獨者，因而慨歎：“夫唯無知，是以不我知”，“知我者希，則我者貴”。老子深感時人愚昧而無知，正如陳鼓應《老子注譯及評介》中所評述的那樣：“老子的思想企圖就人類行為作一個根源性的探索，對於世間事物作一個根本性的認識，而後用簡樸的文字說出個單純的道理來。文字固然簡樸，道理固然單純，內涵卻很豐富，猶如褐衣粗布裏面懷藏着美玉一般。可惜世人只慕戀虛華的外表，所以他感歎地說：‘知我者希’。”這種感歎既表現出老子對自己學說的強烈自信，同時也表現出對人心浮躁、追名逐利的社會現實的失望與無奈。

七十一章

知不知，[1]上；[2]不知知，[3]病。[4]聖人不病，以其病病。[5]夫唯病病，是以不病。[6]

注釋

1. 知不知：注家對此句一般有兩種解釋：一、知道卻不自以為知道；二、知道自己不知道。
2. 上：最好。傅奕本、帛書甲、乙本及《淮南子·道應訓》所引，"上"均作"尚矣"。"上"、"尚"古字通。
3. 不知知：不知道卻自以為知道。
4. 病：毛病，缺點。
5. 病病：以病為病，把病當作病。
6. 是以：因此。不病：沒有毛病。

串講

知道了卻不以為知道，這很高尚；不知道卻以為知道，這是弊病。聖人不犯這種弊病，是因為他以此為弊病。只有以"不知卻以為知"為弊病，才能不犯這個毛病。

評析

本章論述人貴自知。首句從正反兩個方面說明同一個道理，為本章主旨所在。老子認為，世間萬物紛繁複雜，認識世界並非易事，任何博學多識的人都會有認知上的不足，在求知的態度上要誠實坦然，要承認自己在很多領域還有所不知。可是很多人瞭解了一點事物的表面現象，就自以為把握了本質，一知半解卻自以為是，強不知以為知而沾沾自喜，這是一種十分危險的病態行為。人只有認識到自己的局限和不足，知道自己的問題和缺點所在，並不斷將其克服，才能進步，才能不病。聖人之所以不病，正是"夫唯病病，是以不病"。

老子的這一見解同孔子的一段話極其相似，《論語·為政》云："由！誨女知之乎！知之為知之，不知為不知，是知也"。其實，孔、老之說既有相同，又有差異。相同的是二者都強調要客觀承認自己有所不知，這是認知態度上的明智之舉。黃瑞雲《老子本原》認為二者的不同是："老子以知為不知，孔子則以'知之為知之'"。更重要的是，孔子完全是從儒家的道德理想建設出發，強調"知之為知之，不知為不知"是一種做人的態度和準則，是與人的道德品質和個人的人格修養密切相關的命題。老子所謂"知不知"則並非以道德原則出現，也不只局限於個人道德修養的一般層面，老子的任何一個概念都與他"玄之又玄"的"道"相聯繫，是基於對整個宇宙、整個世界的根本性認識。對這種差異的認識有助於我們更準確地把握老子思想的原意。

七十二章

民不畏威，[1]則大威至。[2]無狎其所居，[3]無厭其所生。[4]夫唯不厭，是以不厭。[5]

是以聖人自知不自見，[6]自愛不自貴。[7]故去彼取此。[8]

注釋

1. 威：威壓，威懾。
2. 威：禍亂，禍患。“民不畏威，則大威至”句，帛書乙本作“民之不畏畏，則大畏將至矣”。
3. 狎：通“狹”，意思是壓迫，逼迫。
4. 厭：同“壓”，即壓制，壓抑。
5. 高亨說：“上‘厭’字即上文‘無厭其所生’之厭。下‘厭’字乃六十六章‘天下樂推而不厭’之厭。言夫唯君不厭迫其民，是以民不厭惡其君也。”
6. 見：同“現”，表現。
7. 本句意思是但求自愛，而不自居高貴。蔣錫昌說：“‘自愛’即清靜寡慾，‘自貴’即有為多慾，此言聖人清靜寡慾，不有為多慾。”
8. 彼：指自見，自貴。此：指自知，自愛。

串講

百姓不害怕統治者的威壓，那麼最可怕的禍患就會發生了。不要逼迫百姓無處安居，不要壓制百姓無法生存。只有不壓迫百姓，百姓才不會厭棄統治者。

因此聖人有自我意識卻不只表現自己的意識，自我珍愛卻不自居高貴，既能容納百姓的意識需求，也能珍視百姓。所以要捨棄自見、自貴，而要保持自知、自愛。

評析

本章論述為政之方法，告誡統治者對人民要寬厚，對自己要自知自愛。從統治者與人民的關係而言，六十六章老子曾說："是以聖人欲上民，必以言下之；欲先民，必以身後之。是以聖人處上而民不重，處前而民不害。"本章是在此基礎上具體闡釋統治者採取暴政給社會帶來的危害。"民不畏威，則大威至"，如果統治者一味以暴力逼迫和壓制人民，使廣大百姓無法安居，無以為生，那麼可怕的事情就會發生，壓制之力越強，反抗之力就會越大，到了人民無法再忍受的時候，便會不惜以輕死作亂，後果不堪設想。因而老子告誡："無狎其所居，無厭其所生"，意思是不要逼迫人民使之不得安寧，不要壓榨人民使之失去謀生的道路。

另一方面，老子還告誡統治者要自知自愛。老子認為，產生暴政的心理根源在於統治者內心的貪慾，正因為有了貪慾，統治者才會對百姓施以暴虐，視人民如草芥，極力搜刮民財，斷絕百姓的生活來源，弄得民不聊生，反抗四起；也正因為有了貪慾，統治者才會貪圖名利，自高自大，自我張揚，從而失去人民的信賴。因而老子強調，統治者要"自知而不自見"、"自愛而不自貴"。河上公注云："自知己之得失，不自顯見德美於外，藏之於內。自愛其身以保精氣，不自貴高榮於世。去彼自見自貴，取此自知自愛。"倘能如此，就能消除暴政的根源，使天下百姓安享太平，統治者也能得到人民的擁戴。

七十三章

勇於敢則殺，勇於不敢則活。[1]此兩者，[2]或利或害，[3]天之所惡，孰知其故？[4]（是以聖人猶難之。[5]）

天之道，不爭而善勝，[6]不言而善應，[7]不召而自來，繟然而善謀。[8]天網恢恢，[9]疏而不失。[10]

注釋

1. 敢：勇敢，不顧一切。殺：被殺，死。活：保全生命。
2. 此兩者：指勇於敢和勇於不敢。
3. 或利或害：指勇於柔弱則利，勇於堅強則害。
4. 惡：厭惡，不喜歡。孰：誰。
5. 是以：因此。猶：也。之：天之所惡的原因。難之：意思是不明白為何如此。古今注家多認為此句乃六十三章文字，重出於此。
6. 天之道：自然規律。善勝：善於勝利。
7. 應：回應，回答。
8. 繟然：坦然，安然，寬緩。
9. 天網：自然的範圍。恢恢：廣大，寬廣。
10. 疏：稀疏。失：漏失。

串講

勇氣用於果敢就有會有殺身之禍，勇氣用於示弱就能保存自己。勇於示弱就有利，勇於果敢就有害，這兩方面是上天所厭惡的，誰知道其中的道理呢？（因此聖人也不明白上天厭惡的原因。）

自然的規律，往往善於不戰而勝，不言說而善於回應，不召喚而自動來到，胸懷坦然而善於謀劃。自然範圍寬廣如同巨大的羅網，雖然網眼稀疏卻不會漏失任何東西。

評析

本章論述分兩個層次，首先論述“勇於敢”和“勇於不敢”二者所帶來的不同後果，從而肯定“勇於不敢”才是柔弱勝剛強的“天道”行為；然後闡釋“天道”之特性即“道法自然”。《老子》七十六章云：“故堅強者死之徒，柔弱者生之徒”，與本章所謂“勇於敢則殺，勇於不敢則活”含義相同。王淮說：“勇於敢，即好強與好勝之意。老子在主觀的修養方面是以‘柔弱’為貴；在客觀的應世方面則是以‘剛強’為戒。所謂‘勇於敢則殺’，即本經四十二章‘強梁者不得其死’之意。‘勇於不敢則活’，即本經二十二章‘曲則全，枉則直’之意。’”“勇於敢”即勇於堅強，“勇於不敢”即勇於柔弱。在老子看來，“敢”與“不敢”都需要勇氣，但“勇於不敢”更需要智慧。在日常現實生活中，諸多是非往往難以分辨，即使是能分辨清楚，面對着各種世俗的誘惑，“勇於不敢”似乎更需要勇氣，也更需要高瞻遠矚的智慧。所以，老子在六十七章中還說：“慈故能勇”、“今舍慈且勇，舍儉且廣，舍後且先死矣。夫慈，以戰則勝，以守則固。天將救之，以慈衛之”。老子強調“勇”必須以“慈”為前提，捨“慈”之“勇”，正是本章所說的“勇於敢”，其結果必然是“殺”。以“慈”為本之“勇”，則恰是本章所推崇的“勇於不敢”，其結果自然是“活”。“慈”和“不敢”體現出老子一種特殊的智慧和胸懷。

兩者皆“勇”，後果卻如此不同，老子於是用反問的語氣說：“此兩者，或利或害，天之所惡，孰知其故？”這一反問的句式將前後兩個層次的內容聯繫起來，並前後構成因果關係，前者是果，後者是因。《列子 · 力命篇》云：“老聃語關尹曰：‘天之所惡，孰知其故？言迎天意，揣利害，不如其已。’”“不如其已”是對“勇於不敢”恰當的解釋。“不爭”、“不言”、“不召自來”完全符合老子“無為”、“柔弱”的自然之道原則，也正是老子捨棄“勇於敢”而推崇“勇於不敢”的理論來源。

七十四章

民不畏死，奈何以死懼之？若使民常畏死，而為奇者，[1]吾得執而殺之，[2]孰敢？

常有司殺者殺。[3]夫代司殺者殺，[4]是謂代大匠斫。[5]夫代大匠斫者，希有不傷其手矣。

注釋

1. 奇：奇詭。王弼說："詭異亂群謂之'奇'也。"為奇：為邪作惡的行為。本章各本均有脫奪，義不完整。
2. 執：抓，拘押。之：指為奇者。
3. 司殺者：專管殺人的人。
4. 代司殺者：代替專管殺人的人。
5. 大匠：技高的木匠。斫：砍，削。

串講

百姓不怕死，又怎麼能以死使其恐懼？如果能使百姓總是怕死，那麼對於那些為邪作惡的人，我們把他們抓來殺掉，誰還敢為非作歹呢？

如果情況常常是這樣的話，就應該有專門掌管殺人的機構和人員。代替掌管殺人的人員殺人，就像代替高明的木匠砍削木頭。普通人代替高明的木匠砍削木頭，很少有不傷着自己手的。

評析

本章論述為政不可採取嚴酷的刑法和高壓政策。“民不畏死，奈何以死懼之”，即指出嚴酷刑法之不可行。當統治者真的需要用“殺”來對待人民之時，意味着他的末日也已經來臨。老子認為，世間任何事情都應順應天道自然，“司殺”更應如此。人的生命是一種天道的自然行為，善惡有報，生死在天，不需要人為加以干涉。正如《莊子·養生主》所云：“是遁天倍情，忘其所受，古者謂之遁天之刑。適來，夫子時也；適去，夫子順也”，人之生，適時而來，人之死，適時而去。而統治者的嚴酷刑法和暴政統治剝奪了人民正常的生存權利，這當然是違背天道的行為，於己於民都會帶來極大的危害。老子將行使這種殺戮行為的統治者稱之為“代司殺者”，而將為維護自己統治的殺戮行為形象地比喻為“代大匠斫”。河上公注云：“司殺者謂天居高臨下，司察人過。天網恢恢，疏而不失也。天道至明，司殺有常……人君欲代殺之，是猶拙夫代大匠斫木，勞而無功也。”這些自然的“司殺者”時刻都在按天道的規律運行，並不需要統治者去替代它行使“司殺”的職能，否則就會像“代大匠斫者”那樣，“希有不傷其手矣”。

老子“代大匠斫”的比喻同樣還可以喻指其他的人事行為，具有積極廣泛的借鑒意義。張舜徽先生《老子疏證》釋云：“代大匠斫，乃喻君行臣職也。道論之精，主於君無為而臣有為。君行臣職，乃主術之所忌，故《老子》又以傷手為戒。此處雖但言司殺之事，而其他可類推也……則人主愈勞，人臣愈佚，是代大匠斫。夫代大匠斫者，希有不傷手矣。”天行有常，人在社會中要找準自己的定位，認清自己的權利和義務，堅守自己的職責，切不可越俎代庖，任意妄為。

七十五章

民之饑，[1]以其上食稅之多，[2]是以饑。民之難治，[3]以其上之有為，[4]是以難治。民之輕死，[5]以其上求生之厚，[6]是以輕死。

夫唯無以生為者，[7]是賢於貴生。[8]

注釋

1. 饑：飢餓，饑荒。
2. 食稅之多：徵收很多的稅賦。
3. 難治：難以被統治。
4. 有為：政令煩苛，統治者強作妄為。林希逸說："'有為'言為治者過用智術也。"
5. 輕死：不怕死，對死亡看得很輕。
6. 以其上求生之厚：由於統治者奉養過於豐厚奢侈。王弼本原無"上"字。嚴靈峰說："'上'字原缺，傅奕本、杜道堅本俱有'上'字。王注云：'言民之所以僻，治之所以亂，皆由上，不由其下也；民從上也。'依注並上二句例，當有此一'上'字。"
7. 無以生為：不要使生活上的奉養過於奢侈豐厚。
8. 賢：勝過，超過。貴生：以生命為貴，厚養生命。

串講

百姓之所以捱餓，是因為處於他們之上的統治者的賦稅太多了，所以導致百姓飢餓。百姓之所以難以治理，是因為處於他們之上的統治者政令煩苛、強作妄為，所以導致百姓不好治理。百姓把死看得很輕，是因為處於他們之上的統治者太看重奢侈的生活享受，所以導致百姓看輕死而願意鋌而走險。

只有不追求生活奢侈豐厚的物質享受的人，才比厚養生命的人更加高明。

評析

同七十二章、七十四章主旨相同，本章還是論述統治者與人民之間的關係。老子認為社會的所有災難都是由於統治者貪得無厭的“有為”所造成的。“民之饑”、“民之難治”、“民之輕死”，分別從不同角度，不同層面反映出人民所遭受到的不幸與災難，同時也反映出統治者與廣大百姓之間各種矛盾的不同深度。而產生這些社會問題的原因均在於上層統治者的“貴生”行為。相對於問題層次的不同，其原因也表現為層次與

元代青牛（青牛為老子座騎）

程度的差異，即“以其上食稅之多”、“以其上之有為”、“以其上求生之厚”。從“食稅之多”到“有為”，再到“求生之厚”，統治者貪婪的程度逐漸加大，人民的負擔逐漸加重，社會矛盾也逐漸加深，人民的反抗意識因而也逐漸加強，到了走投無路之時，甚至會不惜以生命為代價作最後反抗。老子思維的這種內在邏輯其實已經暗含着壓迫越深，反抗就會越激烈的觀點，與全章反對嚴苛的政治壓迫、反對繁重的經濟剝削的思想完全一致。

最後一句“夫唯無以生為者，是賢於貴生”，是對全章的概括和總結。這裏的“貴生”觀念與十三章老子提出的“貴身”含義不同，本章“貴生”含義是“生生之厚”，即指對個人私慾的滿足和對生活享受的追求，包括對物質上和精神上、名和利的貪得無厭的佔有，是被老子所摒棄的；“貴身”之“身”是指生命的真實，是一種遠離了各種不正當的慾望和貪婪之心，脫離了世俗利益糾纏的生命之真身，是老子所崇尚的。

七十六章

人之生也柔弱，[1]其死也堅強；[2]草木之生也柔脆，[3]其死也枯槁。[4]故堅強者死之徒，[5]柔弱者生之徒。[6]

是以兵強則不勝[7]，木強則兵。[8]強大處下，[9]柔弱處上。[10]

注釋

1. 柔弱：指人活着的時候身體是柔軟的。
2. 堅強：僵硬，意思是人死後身體變得僵硬。
3. 柔脆：指草木形質的柔軟脆弱。
4. 枯槁：形容草木乾枯。
5. 死之徒：屬於死亡的一類。
6. 生之徒：屬於生存的一類。
7. 兵強：指用兵逞強。
8. 兵：意思是樹木長大成材就會有人來砍伐。俞樾《老子平議》云："老子原文作'木強則折'。因折字缺壞，止存右旁之'斤'，又涉上句'兵強則不勝'而誤為'兵'耳。黃瑞雲《老子本原》認為作"兵"原文通順，無需改動："句中'兵'、'木'相對，都係比喻，'兵'義為刀無疑。"
9. 處下：處於劣勢。
10. 處上：處於優勢。

串講

人在活着的時候身體是柔軟的，在死後身體變得僵硬；草木在生長的時候是柔軟脆弱的，死了的時候就變得乾硬枯萎。所以說強硬的事物屬於死亡者的隊伍，柔弱的事物屬於生存者的隊伍。

因此用兵逞強時不會取得勝利，樹木長得粗壯了就會有人來砍伐。就生存的自然現象而言，強大的事物是處於劣勢的，柔弱的事物才處於優勢。

評析

本章論述“強大處下，柔弱處上”，觀點十分明確。貴柔、處弱是老子一貫的思想主張，本章從直觀的認識視角，看到人初生時身體最為柔弱但充滿生機與活力，而人失去生命之時就變得堅硬了；草木初生時最為脆弱卻表現出旺盛的生機，而當它死了以後就變得枯槁了；用兵逞強就會遭受滅亡，樹木強大了就會被砍伐。老子從這些自然現象的觀察中發現，凡是屬於堅強者都是死的一類，凡是屬於柔弱者都是生的一類。這種直觀的、經驗的認識成為老子思想重要的認識來源，他正是這樣從大量感性的經驗積累抽象為理性的生活指導，總結出“強大處下，柔弱處上”的規律性認識，最後又回歸到“柔弱勝剛強”的一般結論。這種來源於實踐經驗的理論更具有說服力。

需要注意的是，本章老子以人和草木因生而柔，因死而硬來說明柔弱與剛強兩種行為結果的不同，顯得十分牽強並有附會之嫌。黃瑞雲在《老子本原》中也指出：“老子常用自然現象來闡揚哲理，大多生動精闢，然亦間有不甚妥當者。如本章用動植物因生死引起的軟硬變化，同事物品性上抽象的柔弱剛強混同，則頗嫌不倫。”

七十七章

天之道，[1] 其猶張弓與？[2] 高者抑之，[3] 下者舉之；[4] 有餘者損之，[5] 不足者補之。[6]

天之道，損有餘而補不足。人之道則不然，[7] 損不足以奉有餘。[8] 孰能有餘以奉天下？唯有道者。（是故聖人不積，既以為人己愈有，既以與人己愈多。天之道利而不害，聖人之道為而不爭。）[9] 是以聖人為而不恃，功成而不處，其不欲見賢。[10]

注釋

1. 天之道：自然運行的法則。
2. 張弓：拉開弓。
3. 高：指弓弦拉得高了。高者抑之，意思是高了就把它壓低一點。
4. 下：與"高"相對，指弓弦拉得低了。下者舉之，意思是低了就把它升高一點。
5. 有餘：指弓弦拉得過滿。損之：把拉得過滿的弓弦放鬆一點。
6. 不足：指弓弦沒有拉到位。
7. 人之道：指人類社會的一般法則、律例。
8. 奉：供給，供奉。
9. 不積：不儲存，不保留。這裏指聖人無私無欲。既：盡。為：施予。此五句本是八十一章文字，依黃瑞雲說移入至此。黃瑞雲認為其內容與八十一章上文不連，而與本章內容吻合，當移於此。
10. 處：佔有，享有。見：顯現，表現。陳鼓應《老子注譯及評介》認為"這三句和上文意義不相連屬，疑是錯簡複出"。

串講

自然運行的法則，不是很像張弓射箭嗎？弓弦拉得高了就把它壓低一點，弓弦拉得低了，就把它升高一點；把拉得過滿的弓弦放鬆一點，把沒有拉到位的弓弦再拉緊一些。

自然運行的法則，就是減少多餘的，補足不夠的。人類社會的規則卻不是這樣的，總是損減本就忍飢捱餓的百姓去供奉富足奢侈的統治者。哪個統治者能夠把自己富足的東西拿出來奉獻給天下百姓呢？只有那些得“道”的人。所以聖人不積累財物，盡自己所能去利於別人，自己也會得到更多。盡全力去給予別人，自己就會更加富足。自然界運行的法則是要利於他人而不損害他人，聖人的法則就是為別人服務而不爭權奪利。所以聖人有所作為卻不以此恃恩求報，有所成就卻不居功自傲，佔有成果，因為他們本來就不是刻意想把賢明智慧顯現於外的。

評析

本章論述“天之道”與“人之道”的區別。在老子書中曾多次提到“天道”或“天之道”，二者含義基本相同。如九章：“功遂身退，天之道也”；四十七章：“不窺牖，見天道”；七十三章：“天之道，不爭而善勝”；七十九章：“天道無親，常與善人”；八十一章：“天之道利而不害，聖人之道為而不爭”，這些章節中所言“天道”、“天之道”，與本章的含義基本一致。在老子看來，“天之道”是一種客觀存在的、不以人的意志為轉移的自然運行規律，它最大的特點是自覺維護和調節自然萬物的平衡與和諧。它以一種無形的力量，以無為的方式和無私的胸懷，使有餘者自覺地抑損，使不足者自覺地補益，猶“民莫之令而自均”。因此，老子形象地以射箭來作比喻：“天之道，其猶張弓與？高者抑之，下者舉之；有餘者損之，不足者補之”。張弓射箭，目標要射中靶心，弓箭的位置不能過高也不能過低，發力不能過大也不能過小，只有上下調節，大小適宜，才能箭不虛發。老子以此來比喻自然法則，凡是過或不足的失道行為都必須加以自我調節。接着又以此“天之道”喻指“人之道”，認為“人道”應該效法“天道”，人應該效法自然。“天之道”因此而具有示範性和規範性意義，“天之道”所體現出的原則正是老子所提倡和追求的價值標準。

老子所謂“人之道”在本章中可以理解為人世間所有人的行為以及由此而顯現出來的所有社會現象的總和。與“天之道”相比，“人之道”最大的特點是由於人為因素所造成的不均勻、不和諧與不平等。由於社會規則運行的不平衡，人世間弱肉強食，富足者越來越富有，貧窮者越來越貧窮，貧富差距日益懸殊，豪強兼併愈演愈烈，人的行為與“天道”背道而馳。老子因而感歎“孰能有餘以奉天下？唯有道者”，並呼籲真正“有道者”的出現，希望規範人類的行為，希望“天道”與“人道”的融合。最後，他只能把希望寄託在了聖人的身上，“是以聖人為而不恃，功成而不處，其不欲見賢”。只有聖人才能按“天之道”行事，才能“有餘以奉天下”，才能“為而不恃，功成而不處，其不欲見賢”，然而，在老子所處的社會裏，這永遠只能是一種美好的理想。

七十八章

天下莫柔弱於水，而攻堅強者莫之能勝，[1]以其無以易之。[2]弱之勝強，柔之勝剛，天下莫不知，莫能行。[3]

是以聖人云：“受國之垢，[4]是謂社稷主；受國不祥，[5]是謂天下王。”正言若反。[6]

注釋

1. 莫之能勝：意思是攻擊堅強的力量沒有什麼東西能勝過水。
2. 無以易之：沒有什麼東西能代替它。
3. 莫能行：沒有人肯照着做。劉笑敢認為：“此處‘天下莫不知’形式上是與第七十章‘天下莫能知’恰好相反，似乎必有一錯。然而這只是文字表面的觀察。從思想內容來看，此處‘天下莫不知’與第七十章‘吾言甚易知’相一致，因此思想上並沒有矛盾。”劉說是。
4. 是以聖人云：帛書甲乙本均作“聖人之言曰”。受國之垢：承受全國的屈辱。垢：污垢，屈辱，恥辱。帛書甲本“國”作“邦”。
5. 受國不祥：承擔全國的災禍、災殃。不祥：災禍、災殃。帛書甲本“國”作“邦”。
6. 正言若反：正面的話如同反話。黃瑞雲認為此乃對“聖人云”的述評。社稷主，天下王，為天下之尊貴，而必須能受國之污垢，受國之災殃。看是反話，而實是真言，故曰“正言若反”。

串講

天底下沒有比水更柔弱的事物了，然而攻克堅強的事物再也沒有什麼東西能勝過水，因為水是以其無所作為地在自然流動中改變着事物的面貌。像水這樣以柔克剛，以弱勝強的道理，天下的人沒有不明白的，只不過沒有人能照着去做罷了。

所以聖人說："能夠坦然承受他國所施於本國的屈辱的人，才稱得起國家的君主；能夠勇敢承擔國家的危難的人，才稱得起天下人的領袖。"正面的話如同反話。

評析

本章以水為喻，再次闡明柔弱勝剛強的道理。然而，"弱之勝強，柔之勝剛，天下莫不知"，卻又"莫能行"。七十章中老子曾對自己學說執行之難發出感歎，他說："吾言甚易知，甚易行。天下莫能知，莫能行"，這與上述"莫能行"的含義是完全一致的。這種說來容易做起來很難的無奈，從一個側面反映出當時社會人心浮躁的普遍現實。而造成這種社會現實的主要原因，老子一向認為還是來自於上層統治者自身慾望的膨脹和對名利的追求。因此，本章老子對為人君者再一次發出奉告："受國之垢，是謂社稷主；受國不祥，是謂天下王"。對君王"受國之垢"、"受國不祥"的考驗和要求，寄託着老子對未來社會美好前景的無限憧憬。

最後一句"正言若反"，不僅僅是對本章主旨的概括，更是對老子全書辯證法思想的精闢總結。蔣錫昌以為："'正言'即指上文'受國之垢'四句而言，謂以上所云，乃聖人正言，以世人不知，若為反言也。" 高延第《老子證義》云："水之攻堅，所謂滴水穿石也。受國之垢，即國君含垢也。受不祥，即萬方有罪，罪在朕躬也。至尊而以卑下自處，至德而以孤寡不穀為稱，事若相反，實正理也。此語並發明上下篇立言之旨，凡篇中所謂致虛守靜；曲則全，枉則直，窪則盈，敝則新，柔弱勝堅強；不益生，則久生；無為則有為，不爭莫與爭；知不言，言不知；損而益，益而損；言相反而理相成，皆正言也。恐世人不察，故著此以曉讀者。”老子認為，任何事物都有正反兩個方面，所謂“正言若反”，就是指從反面的表述中看到正面的道理，從否定的一面中看到肯定的存在。綜觀老子全書，這樣“正言若反”的表述確實舉不勝舉。孫中原先生列舉了老子書中十六個這樣的例子，頗具代表性：大成若缺（最圓滿好似欠缺）；大盈若沖（最充實好似空虛）；大直若曲（最正直好似枉曲）；大巧若拙（最靈巧好似笨拙）；大辯若訥（最好的口才好似不會辯說）；明道若昧（明顯的“道”好似暗昧）；進道若退（前進的“道”好似後退）；夷道若纇（平坦的“道”好似崎嶇）；上德若谷（崇高的“德”好似卑下的川谷）；大白若辱（最光彩好似卑辱）；廣德若不足（最大的“德”好似不足）；建德若偷（剛健的“德”好似怠惰）；質真若渝（質樸真純好似不能堅持）；大方無隅（最方正反沒有棱角）；大器晚成（貴重的器物總是最後製成）；大象無形（最大的形象看來反而無形）。說“正言若反”是對老子辯證法思想的概括和總結，並非虛言。

七十九章

和大怨，[1]必有餘怨。（報怨以德，[2]）安可以為善？[3]是以聖人執左契而不責於人。[4]

有德司契，[5]無德司徹。[6]天道無親，[7]常與善人。[8]

注釋

1. 和：調和，和解。
2. 報怨以德：原本六十三章文字，據嚴靈峰、陳鼓應、黃瑞雲說移入至此。
3. 善：妥善的辦法。
4. 契：券契。古時借債，刻木為契，在一塊木板或竹板上刻上文字，剖分左右，左邊的一半由債權人收存，右邊的一半由借債人收存。收債時，債權人拿出左邊的一半向借債人討還。帛書甲本作“右契”，乙本作“左契”。責：索取，償還。
5. 司契：掌管契的人。
6. 徹：周代的一種賦稅制度。《論語·顏淵》：“盍徹乎”。鄭注：“周法，什一而稅謂之徹。”司徹：掌管徹的人。何以“有德司契”、“無德司徹”？任繼愈的解釋是：“‘司契’和‘司徹’，都是古代貴族所用的管賬人。司契的人，只憑契據來收付，所以顯得從容。‘徹’是古代貴族對農民按成收租的剝削制度。為了對農民進行剝削，所以司徹的人對交租人斤斤計較。”顯然，這裏的“司契”、“司徹”都用着比喻義。
7. 無親：沒有偏愛。
8. 與：幫助。

串講

和解了重大的仇怨，必然會有餘怨難清，以恩德回報仇怨，又怎麼可以作為妥善的辦法呢？因此聖人即使手持借據也不會強求別人來償還。

有德行的人就像掌管契約的人，只是依約辦事，不會強求於人，而沒有德行的人就像掌管賦稅的人，會強制別人。有德行之人的做法符合自然運行規律，所以“天道”雖不會對任何人有所偏愛，卻總在幫助、親近有德行的人。

評析

本章論述和解怨恨的辦法。“和大怨，必有餘怨”，意思是試圖和解重大的仇怨，即使是暫時得到了和解，也必然會留有餘怨，怨恨並不能得到徹底化解。這一觀點實質上是在說明，消除怨恨的常規辦法無法從根本上消除怨恨產生的社會和心理因素。事實上，只要社會還存在利益的分配，而人類佔有這些利益的慾望不消除，尤其是在老子所處那樣一個豪強兼併、物慾橫流的時代，要想真正消除怨恨幾乎是不可能的。老子告誡人們，怨恨的化解不能僅僅只

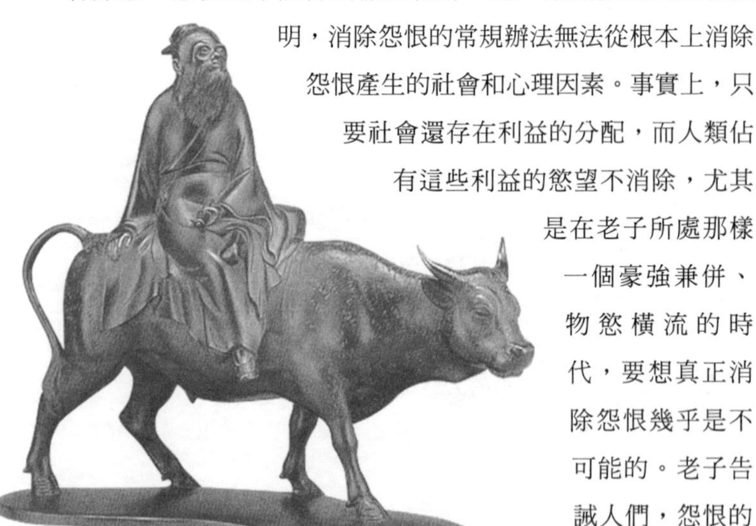

木雕老子像

靠怨恨雙方的和解，而必須靠每一個人寬容的態度和寬廣的胸懷。只有真正將“處下”、“不爭”、“無為”的觀念落實到自己的行為之中，人人清靜無為，謙下退讓而不爭，就能使自己的胸懷變得無限寬廣，就能從根本上消除產生怨恨的根源。“執左契而不責於人”正是這種寬廣胸懷的具體體現。《論語·憲問》云：“或曰：‘以德報怨，何如？’子曰：‘何以報德？以直報怨，以德報德。’”孔子的辦法是“以直報怨，以德報德”，表現出孔子高尚的品德和人格力量。而老子所謂“執左契而不責於人”，並不是體現於個人自身品行的修煉和人格修養，而應該是一種胸懷、一種境界。在這一境界裏，人法地，地法天，天法道，道法自然，天地與我合一，無私無慾，無怨無恨，令人神往。本章最後說：“天道無親，常與善人”，是老子對這樣一種美好境界的描繪和嚮往。

八十章

小國寡民。[1]使有什伯之器而不用，[2]使民重死而不遠徙，[3]雖有舟輿無所乘之，[4]雖有甲兵無所陳之。[5]

使民復結繩而用之，[6]甘其食，美其服，安其居，樂其俗。[7]鄰國相望，[8]雞犬之聲相聞，民至老死，不相往來。

注釋

1. 小國：使國小。寡民：使民寡。寡：少。
2. 什伯之器：各種各樣的器具。
3. 重死：畏死。意思是珍惜生命，不用生命去冒險。
4. 舟：船。輿：車。無所乘之：意思是在小國寡民這樣的理想社會裏，即使有船和車，也沒有必要去乘坐。
5. 陳：陳列。即擺開陣勢，準備作戰。
6. 結繩：文字產生以前，人類以結繩紀事。《易・繫辭下》："上古結繩而治，後世聖人易之以書契。"
7. 本句意思是，使人民吃得香甜，穿得漂亮，住得安適，過得習慣。
8. 帛書甲本"國"作"邦"。

串講

國家要小，百姓要少。這樣即使擁有各種各樣的器具也沒有地方用，使百姓珍惜生命而不遷徙遠方，雖有車船卻沒有乘坐的需要，雖有盔甲兵器卻不需要拿出來準備作戰。

讓百姓返回到上古社會的儉樸狀態，以結繩記事，使人民吃得香甜，穿得漂亮，住得安適，過得習慣。鄰國相互之間可以望得見，各自的雞鳴狗叫聲互相聽得見，而百姓卻直到老死也不相互往來。

評析

本章描述了老子“小國寡民”的社會理想。老子諸多的社會理想都濃縮在本章的描述裏，但這樣一種社會理想藍圖，不唯老子一人所獨創。《莊子·胠篋篇》云：“子獨不知至德之世乎？……當是時也，民結繩而用之，甘其食，美其服，樂其俗，安其居，鄰國相望，雞狗之音相聞，民至老死，而不相往來。”

《淮南子·齊俗篇》云：“鄰國相望，雞狗之音相聞，而足跡不接諸侯之境，車軌不結千里之外者，皆得其所。”《論衡·說日篇》云：“古者質樸，鄰國接境，雞犬之聲相聞，終身不相往來。” 看來“甘”、“美”、“安”、“樂”的“小國寡民”情境是先秦社會對太古時代普遍和共同的歷史記憶。張舜徽先生謂本章“乃道家述古之辭。或得之傳聞或出於意想，周秦諸子中類此者眾，不獨老子之書有之也。”這種推測比較合乎情理。

雖然我們不能把這樣一種描述純粹看作是對遠古人類真實生活的歷史復原，但至少也可以看作是在此記憶基礎之上對未來社會的一種設想，其復古的傾向十分明顯。這樣的復古，一方面表現出老子的期待與希望，所謂“甘其食，美其服，安其居，樂其俗”，正是老子清靜無為、民風淳樸的理想社會的真實圖景。這樣的復古，另一方面也表現出老子對現實生活狀況的反抗和批判，而不是對社會現實的逃避，更不是希望虛構出一個現實生活中不存在的“世外桃源”作為精神家園來聊以自慰。本章前半部分從開始到“雖有甲兵無所陳之”，字裏行間暗含着強烈的否定意識和批判意識，“使有什伯之器而不用”，表現出對技術和器物的厭倦，“使民重死而不遠徙”，表現出對人民冒着生命危險奔波遠徙的同情；“雖有舟輿無所乘之”，表現出對舟、輿的使用而使百姓之間往來頻繁，從而引起生活方式和生活環境巨大改變的不滿；“雖有甲兵無所陳之”，表現出對兵器和戰爭的厭惡與憂慮。對遠古的回憶，對現實的批判和對未來的嚮往，同時也反襯出當時社會現實的污濁與黑暗。

八十一章

信言不美，[1]美言不信。[2]

善者不辯，[3]辯者不善。

知者不博，[4]博者不知。

（聖人不積，[5]既以為人己愈有，既以與人己愈多。天之道利而不害，聖人之道為而不爭。）

注釋

1. 信言：實話，真話。
2. 美言：巧言，華美之言。以上兩句傅奕本作"信者不美，美者不信。"開頭兩句中的"言"字，俞樾《老子平議》以為應作"者"，與下文'善者不辯，辯者不善；知者不博，博者不知'文法一律。
3. 善者：既可以解為善良之人，也可以解為善言之人。辨：巧辯。
4. 博：廣博。或以為"博"與"溥"同義，佈、陳，即炫耀的意思。
5. 以下五句，黃瑞雲《老子本原》認為與前六句文誼不相聯屬，係七十七章文錯簡於此，可從，注見七十七章。

串講

真實的話往往不漂亮，漂亮的話往往不真實。

善良的人往往不巧言善辯，巧言善辯的人往往不善良。

有智慧的人不以廣博的知識炫耀於人，以廣博的知識炫耀於人的人不是智慧的人。

（聖人不積累財物，盡自己所能去利於別人，自己也會得到更多，盡全力去給予別人，自己就會更加富足。自然界運行的法則是要利於他人而不損害他人，聖人的法則就是為別人服務而不爭權奪利。）

評析

本章歷來都被看作是對《老子》全書的思想總結。蘇轍說："凡此皆老子之所以為書，與其所以為道之大略也。故於終篇復言之。"張松如說："老子在此德經之末，寫出這麼三段文字，好像只是複述了前文已經說過的話，並無多少新意，反復誦讀，此蓋七十、七十一，以至七十七、七十八、七十九各章的一個小結，在具體內容上雖無多少增加，而在辯證法理性思維上則更集中地有所突現。前於八十章夾敘'小國寡民'的社會理想，便是從正面加以陳述，亦有總結的意義。"誠如張松如先生所說，從本章內容上看並無多少新意，最後一句"聖人不積，既以為人已愈有，既以與人已愈多。天之道利而不害，聖人之道為而不爭"，雖然帶有總結性質，但"為人"、"與人"和"不爭"的道理在此之前也已反復申說，因而，總結歸納的意義並不明顯。張先生認為其總結意義在於辯證法理性思維集中地有所突現，但作為一種思維方式，老子的辯證法思想幾乎貫穿到了全書的每一個章節，而本章也並沒有將辯證法作為一種思維方式作相關的理論闡釋，以辯證法的思維方式去證明這種思維方式的重要性，也不符合邏輯常理。

事實上，本章開頭就提出的"言"、"意"關係的闡釋，才是老子最需要加以強調和總結的。從一定意義上講，"言"、"意"關係的辨證思考，既體現出老子辯證法理性思維的獨特意義，也體現了《老子》全書思想的宗旨，從而使本章在內容和形式上都具有總結的意義。言不盡意的困惑是中國古代哲學共同遇到的困境，孔子認為“巧言亂德”、“巧言令色，鮮矣仁”，主張“敏於事而慎於言”、“訥於言而敏於行”；孟子主張“不得於言”；莊子則指出“明見無值，辯不若默”。老子本章所謂“信言不美，美言不信。善者不辯，辯者不善”，更是詳細解析了“言”、“意”關係的矛盾困境，體現《老子》全書不用美言、不用雄辯的整體風格，與第一章“道，可道，非常道；名，可名，非常名”的表述也前後呼應，首尾一致。同時還暗示，這樣一種超常的智慧，更需要我們用沉默的方式去領會。

參考書目

《馬王堆漢墓帛書老子》，文物出版社 1980 年版

《韓子淺解》，梁啟雄，中華書局 1960 年版

《莊子集釋》，郭慶藩，中華書局 1961 年版

《史記》，司馬遷，中華書局 1959 年版

《淮南鴻烈集解》，劉文典，中華書局 1989 年版

《老子道德經注》，河上公，上海涵芬樓影印《道藏》本

《老子指歸》，嚴遵，中華書局 1994 年版

《道德真經注》，王弼，光緒元年(1875)浙江書局重刊明華亭張氏本

《列子集釋》，楊伯峻，中華書局 1979 年版

敦煌唐寫本《老子》殘卷，上虞羅氏影印《西陲秘笈從殘》本

唐景龍二年易州龍興觀道德經碑(景龍碑)，（拓本見《考古專報》第一卷）

唐景福二年易州龍興觀道德經碑(景福碑)，（拓本見《考古專報》第一卷）

唐開元二十六年御製《道德經》幢

《道德經古本篇》，傅奕，上海涵芬樓影印《道藏》本

《經典釋文》，陸德明，上海古籍出版社 1985 年版

《王安石〈老子注〉輯本》，容肇祖輯，中華書局 1979 年版

《道德真經藏室纂微篇》，陳景元，上海涵芬樓影印《道藏》本

《道德真經論》，司馬光，上海涵芬樓影印《道藏》本

《老子解》，蘇轍，上海涵芬樓影印《道藏》本

《老子口義》，林希逸，上海涵芬樓影印《道藏》本

《老子道德經古本集注》，范應元，《續古逸叢書》影宋刊本

《道德會元》，李道純，上海涵芬樓影印《道藏》本

《道德真經注》，吳澄，上海涵芬樓影印《道藏》本

《老子道德經解》，釋德清，金陵刻經處刊本

《老子翼》，焦竑，漸西村舍刻本

《老子道德經考異》，畢沅，《經訓堂叢書》本

《讀書雜志》，王念孫，中國書店 1985 年版

《老子本義》，魏源，中國書店 1993 年版
《老子平議》，俞樾，光緒二十五年(1899)《春在堂全書》重訂本
《老子證義》，高延第，光緒十二年(1886)刻本
《讀老劄記》，易順鼎，光緒十年(1884)《寶瓠齋雜俎》本
《老子道德經評點》，嚴復，光緒三十一年(1905)日本東京硃墨印本
《老子斠補》，劉師培，甯武南氏 1936 年排印本
《老子故》，馬其昶，秋浦周氏刊本
《老子校詁》，馬敘倫，北京景山書社 1924 年版
《老子集解》(《老子注三種》合刊本），奚侗，黃山書社 1994 年版
《老學八篇》，陳柱，商務印書館 1928 年版
《老子正詁》，高亨，開明書店 1943 年版
《老子校詁》，蔣錫昌，商務印書館 1937 年版
《老子古本考》，勞健，辛巳影印手稿本
《老子校釋》，朱謙之，中華書局 1984 年版
《老子繹讀》，任繼愈，北京圖書館出版社 2006 年版
《老子校讀》，張松如，吉林人民出版社 1981 年版
《老子達解》，嚴靈峰，臺灣華正書局 1982 年版
《周秦道論發微》，張舜徽，中華書局 1982 年版
《老子注譯及評介》，陳鼓應，中華書局 1984 年版
《老子本原》，黃瑞雲，人民文學出版社 1995 年版
《老子古今》，劉笑敢，中國社會科學出版社 2006 年版
《帛書老子校注》，高明，中華書局 1996 年版
《新譯老子讀本》，余培林，三民書局 1984 年版